LEBEN WIE MUSIK

Band 1: Rhythmus – Körper – Erde

Christian Salvesen

Leben wie Musik

Band 1: Rhythmus – Körper – Erde

Bibliografische Information der Deutschen Nationalbibliothek: Die
Deutsche Nationalbibliothek verzeichnet diese Publikation in der
Deutschen Nationalbibliografie; detaillierte bibliografische Daten sind
im Internet über dnb.dnb.de abrufbar.

Herstellung und Verlag:

BoD – Books on Demand, Norderstedt

ISBN 9-783-7526-09202

Inhalt

Einleitung

Wenn ich Musik höre, scheinen mich die Klänge schon bald in eine andere Welt zu ziehen. In der Musik sind die lästigen Termine und Probleme vorübergehend verschwunden. Zeit und Raum haben eine andere Qualität. Es fühlt sich an, als würde ich ganz eintauchen und mitströmen in einem Fluss, der mich der Welt mit ihren Sorgen und Problemen enthebt. In diesem Sinne verstand der Philosoph Arthur Schopenhauer das Wesen von Musik:

"Das unaussprechlich Innige aller Musik, vermöge dessen sie als ein so ganz vertrautes und doch ewig fernes Paradies an uns vorüberzieht, so ganz verständlich und doch so unerklärlich ist, beruht darauf, dass sie alle Regungen unseres innersten Wesens wiedergibt, aber ganz ohne die Wirklichkeit und fern von ihrer Qual." [1]

Darin mag einer der Gründe liegen, warum Musik – und vor allem die dafür geeignete Musik – nachweislich entspannt, Stress reduziert, das Immunsystem stärkt und insgesamt seelisch, mental und körperlich aufbaut. Welche Musik auf welche Weise heilend in einem ganzheitlichen Sinne wirkt, das ist ein Hauptthema dieses Buches bzw. der drei zusammengehörenden Bände.

Schopenhauer bringt in seiner Musikphilosophie einen weiteren Gedanken ein, den ich aufgreifen und in eine bestimmte spirituelle Richtung weiterführen möchte. Zu seiner Zeit, im 19. Jahrhundert, war die Musik noch tonal und harmonisch. Meist waren vier Stimmen

---

[1] Arthur Schopenhauer, die Welt als Wille und Vorstellung, Bd. I, S. 285

vorgegeben, nämlich Sopran, Alt, Tenor und Bass. Dabei war die oberste Melodiestimme in der Regel schneller und beweglicher als der relativ schwerfällige Bass. Diese vier Stimmlagen repräsentieren laut Schopenhauer die vier Ebenen oder Entwicklungsstufen in der Natur: Steine, Pflanzen, Tiere und Menschen. Die Melodie der obersten Stimme entspricht dem Willen und Streben der menschlichen Seele.

Schopenhauer hat die indischen Veden studiert und möglicherweise auch von den sieben Energiezentren (Chakras) gewusst, die im Yoga alle Ebenen des Seins repräsentieren. Etliche CDs der letzten Jahrzehnte bieten Musik, die in Resonanz zu den Energiezentren sein und so eine Reinigung, Lösung von Blockaden oder eben Harmonisierung bewirken sollen. In einigen Produktionen wird ein bestimmter Grundton einem entsprechenden Chakra zugeordnet. In anderen beziehen sich tiefe Töne auf die unteren, höhere auf die oberen Chakren. Komplexer sind solche Zusammenstellungen, wo den Chakren unterschiedliche Arten von Musik entsprechen sollen: Stark rhythmisch, bassbetont für den unteren Energiebereich (Überleben, Sex, Power), melodisch-harmonische Stücke für den Herz- und Kehlkopfbereich und schließlich sphärische Klänge und Obertöne für Stirn- und Scheitelchakra.

Die Dreiteilung in Band 1 = Rhythmus-Körper-Erde, Band 2 = Melodie-Herz-Himmel und Band 3 =Obertöne-Bewusstheit-Kosmos folgt dem Chakra-Modell. Dabei sind die Grenzen fließend. Eine Musik, bei der vor allem der Rhythmus wichtig ist, kann ja durchaus melodisch sein und dazu noch obertonreiche Instrumente wie die indische Tambura einsetzen.

Dieser erste Band der Reihe „Leben wie Musik" widmet sich also vornehmlich dem Rhythmus. Das ist ein unglaublich vielschichtiges und grundlegendes Phänomen, das in allen Bereichen des Lebens eine zentrale Rolle spielt.

Zu Beginn stelle ich einleitend einige Bereiche vor. Wie wirkt sich der Rhythmus von Gedichten auf uns aus? Wie hängen Rhythmus und Frequenz zusammen? Was hat es mit den Zyklen in der Natur und in jedem Körper auf sich? Damit befassen sich zum Beispiel die jungen Forschungszweige der Chronobiologie und Chronomedizin.

Im kurzen ersten Teil befasse ich mich mit einem besonderen Aspekt, nämlich dem sprachlichen Rhythmus in Reimen und Beschwörungs- formeln. Der zweite Teil ist dem Tanz und der Trommel gewidmet, und zwar unter dem Aspekt der ganzheitlichen Heilung. Tanz allge- mein ist ein viel weiteres Feld. Der dritte Teil geht auf die Musik als Vermittlerin von Mensch und Natur ein. Wir lauschen den Stimmen in einem Wald oder dem Gesang der Wale. In etlichen Musikproduktio- nen, die zur Meditation gedacht sind, spielen Musiker ihre Instru- mente unmittelbar zu den Stimmen der Tiere. Hier gehen wir bereits über in die nächste Ebene, die der Melodie und des Herzens.

Im vierten Teil geht es um die weibliche Energie, die innere Göttin in jedem von uns. Entsprechend sind es vor allem Frauen, deren Musik und Gesang vorgestellt wird. Im fünften und letzten Teil dieses Ban- des steht das Feiern in der Gemeinschaft im Mittelpunkt. World Musik – Weltmusik – soll das alle Kulturen verbindende Medium sein.

Bei den hier vorgestellten unterschiedlichen Arten von Musik bzw. Klängen – also z.B. Trommeln, Naturgeräusche, Mantras, rituelle Ge- sänge, Welt- oder Meditationsmusik – gibt es verschiedene Arten des Hörens, des Zugangs oder Umgangs mit dem Höробjekt. Ich nenne das den „Schlüssel". Solche Schlüssel sind tanzen, lauschen, das Ritual oder feiern („Celebration").

Die meisten der hier vorgestellten MusikerInnen lassen sich sehr ver- einfacht unter dem Dach von „New Age" und Weltmusik unterbrin- gen. Nach meiner Einschätzung war der Höhepunkt ihrer Musik in den 80er und 90er Jahren. Die CDs sind überwiegend aus dieser Zeit.

Ich habe in den 90ern alljährlich Kurzrezensionen für die Kataloge „CD-Visionen" (Aquarius) verfasst und so über 3.000 CDs kennengelernt. Ich schöpfe u.a. aus diesem Fundus. Die CDs bzw. die Musik darauf ist keinesfalls überholt. Fast alle Titel können heute aus dem Internet heruntergeladen bzw. auf YouTube angehört werden. So kann sich jeder anhand meiner Tipps und Anleitungen das für ihn interessante Stück besorgen, sei es zum Meditieren, Tanzen, für ein Ritual oder als Workshopleiter für bestimmte Übungen wie Innere Reisen.

Ich wünsche Ihnen viel Freude beim Lesen und vor allem beim Hören.

Was ist Rhythmus?

Psalm

Niemand knetet uns wieder aus Erde und Lehm,
niemand bespricht unseren Staub.
Niemand.

Gelobt seist du, Niemand.
Dir zulieb wollen
wir blühn.
Dir
entgegen.[2]

In diesen Versen von Paul Célan schwingt Rhythmus. Wir spüren ihn,
noch bevor wir den Sinn der Zeilen erfassen. Das Gehirn hat bereits
(um-)geschaltet. Wir erleben anders. Akzente, Betonungen entstehen,
ein innerer Tanz.

Gedichte, Musik und Tanz weisen uns auf ein Prinzip, das in der gesamten Natur und Existenz herrscht. Alles, vom Elektron bis zur Ga-
laxie, bewegt sich in einem eigenen Rhythmus und schwingt zugleich
mit unzähligen anderen Rhythmen. Und alle beeinflussen sich gegenseitig. Resonanz, glaubt der Molekularbiologe und Philosoph Friedrich
Cramer, ist das, was die Welt im Innersten zusammenhält. [3]

---

[2] Célan, Paul: *Psalm* aus: *Die Niemandsrose.* Gedichte. S. Fischer Verlag,
Frankfurt 1976

[3] Cramer, Friedrich: *Symphonie des Lebendigen. Versuch einer allgemeinen
Resonanztheorie.* Insel TB, Frankfurt a. M. und Leipzig, 1998

Wir wollen den Herzschlag des Lebens erforschen und in ihm tanzen, wollen mitschwingen, bewusst, zu unserem und aller Segen. Wenn wir uns unwohl, gestresst oder schwach fühlen, ist irgendetwas aus dem Takt geraten. Vorher, als es uns gut ging, schien unser Leben wie eine gemütlich unterhaltsame Kanufahrt auf einem gleichmäßig dahin strömenden Fluss. Nun bemerken wir Hindernisse, Strudel und Engpässe, fühlen uns überfordert oder gar ausgeliefert und hilflos.

Wiederum sind es Poesie, Musik und Tanz, die uns in solchen schwierigen Situationen helfen können. Sie lassen uns verstehen, dass wir ja immer bereits getragen sind von den Rhythmen des Lebens, von den Jahreszeiten, dem Wechsel von Wachsein und Schlafen, dem Pulsieren des Blutkreislaufs und dem Aus- und Einatmen. Und sie geleiten uns mit ihrem Rhythmus heilsam zurück in die Harmonie mit uns selbst und dem Ganzen.

Im ersten Teil dieses Buches vertiefen wir ganz praktisch die rhythmische Erfahrung, die wir gerade zu Beginn durch die Lyrik gemacht haben. Worte können verletzen oder heilen, aufregen oder beruhigen, verwirren oder klären. In einem Reim mit rhythmischen Akzenten wirken sie aber darüber hinaus unmittelbar auf Atem, Herz- und Kreislauf, das Nervensystem und andere meist unbewusste Vorgänge im Körper. Deutlicher und stärker spürbar geschieht das natürlich im Tanz. Das älteste und wichtigste Instrument für musikalischen Rhythmus ist die Trommel. Sie leitet den Schamanen der Urvölker ebenso wie den heutigen Tanztherapeuten und seine „Patienten". Wir erfahren mehr über und sogar direkt beim Lesen die heilende Kraft des Rhythmus.

Alles im Leben geschieht in einem Rhythmus. Rhythmus: Das ist Musik und Tanzen. Wir klatschen in die Hände. Wir lachen uns an. Das kennen wir alle gut. An dieser Erfahrung wollen wir uns auch in diesem Buch immer wieder orientieren. Das ist unser Ausgangspunkt, unser Grundmodell. Rhythmus reicht natürlich viel weiter. Wir sprechen vom Herz- und Atemrhythmus, vom Tag- und Nachtrhythmus, vom Rhythmus der Jahreszeiten. Oder vom „Rhythmus der Großstadt". „Rhythmos" ist Griechisch. Darin steckt als Wurzel „ziehen" und „fließen". („pantha rhei" = alles fließt, Heraklit) Rhythmus zieht und fließt. Genau wie beim Tanzen.

Wissenschaftler, die sich mit dem Phänomen Rhythmus befassen, wollen zunächst einmal wissen und messen, wie oft sich ein Ereignis in einer bestimmten Zeit wiederholt. Rhythmus wird zur „Frequenz". Mit den enormen technischen Errungenschaften der vergangenen Jahrzehnte können Ereignisse, die sich Millionen Mal in einer Sekunde wiederholen, genau registriert werden. Einen solchen superschnellen Rhythmus, zum Beispiel von elektrischen Nervenimpulsen im Gehirn, erleben wir nicht bewusst. Aber das geschieht im Körper und beeinflusst unser Fühlen und Denken. Wir sind also unmittelbar davon betroffen.

Unsere Sinnesorgane verarbeiten ebenfalls Schwingungen, Wellen, Rhythmen, die sehr schnell aufeinander folgen. Hörbare Töne und Geräusche liegen zwischen etwa 20 und 20.000 Hertz. Farben schwingen noch sehr viel schneller. Die Maßeinheit für Schwingungen pro Sekunde wurde nach dem deutschen Physiker Heinrich Hertz (1857-1894) benannt.

Bei den Tönen einer Melodie können wir nicht die einzelnen Schwingungen pro Sekunde unterscheiden, aber wir nehmen sie zusammengenommen als eine besondere Eigenschaft wahr, nämlich als Tonhöhe. Und aus aufeinander folgenden Tönen entsteht wiederum das, was wir ursprünglich als Rhythmus kennen. Einen musikalischen Rhythmus erleben wir als Einheit. Psychologen und Gehirnforscher sprechen vom Gegenwartsbewusstsein. Es umfasst 3-4 Sekunden. Das genügt, um den Rhythmus zu erfassen und zu jeder beliebigen Musik mitzutanzen.

Was länger zurückliegt, zehn Sekunden, eine Minute, eine Stunde, einen Tag etc. ist „Erinnerung". Eine Rekonstruktion des Geschehenen. Dabei arbeitet das Gehirn ganz anders als beim unmittelbar Erlebten. Wir kennen das: „Die Erinnerung verblasst". Was vor einigen Minuten geschah, ist nicht mehr so präsent, ganz zu schweigen von dem, was wir gestern oder vor einem Jahr erlebten.

Doch wir wissen – aufgrund unseres Gedächtnisses – dass sich gewisse Ereignisse über einen längeren Zeitraum wiederholen. Damit steigen wir auf eine dritte Ebene von Rhythmus. Die Zyklen der Natur gehören dazu: Der Wechsel von Tag- und Nacht, der Monatszyklus, die Jahreszeiten. Und – noch abstrakter, wiederum erst durch die Wissenschaft unserer Zeit ins Spiel gebracht: Die Zyklen von Eiszeiten, großen Naturkatastrophen, Geburt und Tod von Sonnen. Gedacht wurden solche Zyklen, die sich über Millionen von Jahren erstrecken, nicht erst in unserer Zeit. In den indischen Veden wurde bereits vor über 3000 Jahren folgender Vergleich aufgestellt: So wie wir in wenigen Sekunden ein- und ausatmen, so atmet der Schöpfergott ein Universum aus- und ein, in Milliarden von Jahren. Zeit ist wahrlich ein Mysterium.

Mittlerweile befassen sich viele Wissenschaftler aus ganz unterschiedlichen „Abteilungen" mit Rhythmus: Astrophysiker, Biologen, Chemiker, Elektroniker, Friedensforscher, Geologen, Historiker, Klangforscher, Literatur- und Musikwissenschaftler, Mediziner, Neurologen, Psychologen, Soziologen etc. Wir werden einige ihrer Forschungsergebnisse kennen lernen. Doch zunächst möchte ich kurz einen jungen Zweig vorstellen, der sich als besonders wichtig erweisen wird: Die Chronobiologie. Eine Art Biologie der Zeit (chronos). Sie fragt – zusammen mit der verwandten Chronomedizin: Wie wirken die verschiedenen Rhythmen auf unser Befinden, unsere Gesundheit bzw. Krankheit?

Zu den Pionieren dieser neuen Wissenschaft gehören Prof. Dr. Franz Halberg in den USA (1919-2013) und Prof. Dr. Gunther Hildebrand (1924-1999), ehemaliger Leiter des Marburger Instituts für Arbeitsphysiologie und Rehabilitationsforschung und Gründungspräsident der European Society for Chronobiology. Es hat sich sehr bald gezeigt, dass jede Zelle, jedes Organ, jeder Stoffwechsel, jeder Gehirnimpuls in ein komplexes Gesamtsystem von Rhythmen eingebunden ist. Alles läuft in Zyklen und in einem Takt ab, gesteuert von einer Art inneren Uhr.

Die Chronobiologie unterscheidet zwischen kurzen, mittleren und langen Wellen. Die kurzen Wellen, wie zum Beispiel Nervenimpulse, können nur von feinsten elektronischen Geräten registriert werden. Die mittleren können wir direkt wahrnehmen: Herz- und Pulsschlag, Atemrhythmus, Rhythmen eines Musikstücks. Sie liegen im Bereich des Gegenwartsbewusstseins. Die langen Wellen reichen über das Gegenwartsbewusstsein hinaus: Minuten-, Stunden-, Tag- und Nachtzyklen, Monats- und Jahreszyklen. Alle drei Wellenlängen sind für unsere Gesundheit wichtig. Doch wir wollen mit dem beginnen, was wir direkt erfahren.

TEIL 1 HEILENDE REIME – VERTRAUEN UND INSPIRATION

1, 2, 3, 4, 1, 2, 3, 4,

1, 2, 3, 4, 1, 2, 3, 4,

1, 2, 3, 4, 1, 2, 3, 4,

1, 2, 3, 4, 1, 2, 3, 4,

Merken Sie etwas? Beim Lesen der Zahlen geschieht eine Art innere Umstellung. Sie schalten von Inhalt und Bedeutung um auf Rhythmus. Das passiert automatisch. Es braucht vielleicht etwas Zeit, um diese Umstellung bewusst wahrzunehmen. Deshalb schlage ich vor, Sie lesen die Zahlen noch einmal, ja mehrmals, und am besten laut.

Wenn Sie mitmachen, sind Sie in einem Rhythmus. Sie fühlen das. Sie können sich da geradezu reinsteigern. Sie können die 1 und die 3 betonen, oder die 1 und die 4. Der Kopf beginnt leicht mitzunicken, oder ein Finger tippt den Rhythmus auf dem Schreibtisch. Das Bein wippt. Kaum merklich ist ein Tanz entstanden. Erkennen Sie den Unterschied zum Lesen dieses Textes – jetzt gerade-, der nicht auf Rhythmus bedacht ist?

Können wir das Phänomen Rhythmus direkt in diesem Medium der Schrift, der gedruckten Sprache erleben? Ich glaube ja. Und damit hätten wir den ersten Schlüssel dafür, das, was in diesem Buch über Selbstheilung durch Rhythmus gesagt wird, zu verstehen und anzuwenden.

Seit Jahrtausenden haben Menschen versucht, Worte so zu arrangieren, dass sie wie Musik in einem bestimmten Rhythmus fließen. So erreichen sie den Hörer oder Leser tiefer und nachhaltiger. Warum das so ist, werden wir noch erfahren. Lesen wir zunächst einige Beispiele – und hören wir dabei innerlich auf den Rhythmus.

Wie Homer seine „Odyssee" beginnt

„**Andra** moi **ennepe musa** politropon..."

„Den Mann mir nenne, Muse, den Vielgewandten..."

So begann der blinde griechische Dichter Homer vor fast 3000 Jahren seine „Odyssee", die berühmte Geschichte von der Irrfahrt des Odysseus. Das Versmaß im Altgriechischen heißt Hexameter (Sechs-Maß). Schon die erste Zeile schwingt in einem 6/8 Takt, wenn wir die fettgedruckten Silben betonen. Und in diesem Walzerrhythmus tanzen die vielen tausend Strophen des ganzen epischen Gedichts. In der deutschen Übersetzung klappt das nicht so gut. Da müsste man schon arg zurechtrücken:

„Muse, den Mann nenne mir, vielgewandt ..." (oder so ähnlich)

In der klassischen Übersetzung von Johann Heinrich Voß lauten die ersten 10 Zeilen so:

„Sage mir, Muse, die Taten des vielgewanderten Mannes,
Welcher so weit geirrt, nach der heiligen Troja Zerstörung,

18

Vieler Menschen Städte gesehn, und Sitte gelernt hat,
Und auf dem Meere so viel' unnennbare Leiden erduldet

Seine Seele zu retten, und seiner Freunde Zurückkunft.
Aber die Freunde rettet' er nicht, wie eifrig er strebte,
Denn sie bereiteten selbst durch Missetat ihr Verderben:
Toren! welche die Rinder des hohen Sonnenbeherrschers
Schlachteten; siehe, der Gott nahm ihnen den Tag der Zurückkunft,
Sage hievon auch uns ein weniges, Tochter Kronions." [4]

Homer gilt als Vater unserer abendländischen Dichtkunst. Seine Epen im Original zu kennen gehört bis heute zur klassischen Bildung. Der klare Rhythmus hilft beim Auswendiglernen und verstärkt zugleich die Wirkung des Vortrags. Inhaltlich ändert sich allerdings nichts, wenn man die Geschichte nicht in „Lyrik" (Gedichtform) sondern in „Prosa" (Erzählform) wiedergibt.

Doch Forscher fanden in Studien heraus, dass die Rezitation von Hexametern gesünder ist. Dirk Cysarz, Mitglied der Forschergruppe und wissenschaftlicher Mitarbeiter am Lehrstuhl für Medizintheorie und Komplementärmedizin an der Universität Witten/Herdecke kommentiert das Studienergebnis wie folgt: "Während der Rezitation der antiken Verse war eine deutliche Synchronisation von Herzschlag und Atemfrequenz zu beobachten. Die durch den Hexameter-Rhythmus bedingten langsamen Atemschwingungen erzeugten eine harmonische und regelmäßige Herzschlagfolge. Offensichtlich hilft der Hexameter dem Körper, seinen eigenen, guten Rhythmus zu finden." Natürlich ersetzten Gedichte keine medikamentöse Therapie bei Herzpatienten, fügt Cysarz hinzu. Sie seien nur als eine begleitende Maßnahme

---

[4] Quelle: http://www.zeno.org/Literatur/M/Homer/Epen/Odyssee/1.+Gesang (8/2020)

anzusehen. Großer Vorteil der Methode sei allerdings, dass sie absolut nebenwirkungsfrei ist und dass man gleichzeitig noch etwas für die Bildung tut. [5]

Ursprünglich ging es um eine Studie, um Unfälle an einer Wiener Großbaustelle zu reduzieren. Die Bauarbeiter konnten sich durch Hexameter oder die anthroposophische Eurhythmie zu mehr Aufmerksamkeit am Arbeitsplatz inspirieren lassen. Der Unfallquotient lag tatsächlich deutlich unter dem Schnitt. Geleitet wurde das Experiment von dem Chronomediziner Prof. Dr. Max Moser, Institut für Nichtinvasive Diagnostik, Weiz und Medizinische Uni Graz sowie Dr. Hendrik Bettermann von der Uni Witten/Herdecke.

Dietrich von Bonin vom Medizinisch-künstlerischen Therapeutikum Bern bestätigt – in Zusammenarbeit mit dem Institut für Nichtinvasive Diagnostik (NID), Graz: Das Rezitieren von Hexametern löst im Vegetativum hochsynchrone Schwingungsverhältnisse aus, die als ein Klang mit Grund- und Teiltönen hörbar gemacht werden können. [6]

Das hört sich erstmal kompliziert an. Doch wir werden es schon bald besser verstehen.

---

[5] Quellen: https://www.spektrum.de/news/lest-mehr-gedichte/751721 (8/2020)
[6] Quelle: https://diedrei.org/files/media/hefte/2004/Heft%208-9%2004/07%20Moser-Krankheit.pdf

Vom Kinderreim bis Rilke

Im Laufe der Zeit haben Dichter aller Kulturen mit unterschiedlichen Rhythmen und Formen experimentiert. Die uns geläufigste ist der Endreim, wobei zugleich ein bestimmter Rhythmus eingehalten wird. Das kennen wir von Kindheit an und klingt sehr vertraut:

Abzählreim (Vierertakt)

„Ele mele mu (Pause)

Raus bist du!" (Pause)

Gebet:

„Ich bin klein,

mein Herz mach' rein,

soll niemand drin wohnen

als Jesus allein"

Heilreim/Lied:

„Heile, heile Segen!
Morgen gibt es Regen,
Übermorgen Schnee,
Und jetzt tut's nimmer weh."

Im Unterschied zu diesen einfachen, beruhigenden Versen für Kinder brachten große Dichter wie Schiller und Goethe, die sich auch an den griechischen Dichtern orientierten, dramatische Inhalte in eine Form, die rhythmisch genau passte:
Zu Dionys dem Tyrannen schlich

Damon, den Dolch im Gewande

Ihn schlugen die Häscher in Bande

„Was wolltest du mit dem Dolche, sprich!"

entgegnet ihm finster der Wüterich.

„Die Stadt vom Tyrannen befreien!"

„Das sollst du am Kreuze bereuen"

(Friedrich Schiller, Die Bürgschaft, 1. Strophe)

Dieser Rhythmus ist sicher anspruchsvoller als der eines Schlaflieds. Er soll ja auch aufrütteln, packen. Und zugleich ist da dieses fast hypnotisierende Fließen, das in den Bann zieht und sich einprägt. Ich konnte zumindest diese erste von über 20 Strophen der Ballade nach über 40 Jahren noch auswendig. Mir macht es Spaß, solche Gedichte laut zu lesen. Wir werden noch erleben: Auch das „Dramatische" kann heilsam sein.

Shakespeares bevorzugte Versform, der jambische Pentameter, soll laut Alex Jack, Professor für holistische Hygiene am Kushi Institute in Becket, Massachusetts, den Herzschlag heilsam beeinflussen: „Diese abwechselnde Betonung imitiert den Herzschlag, den Rhythmus von Systole (Ausdehnung) und Diastole (Zusammenziehung). Beim Vorlesen jambischer Pentameter entsteht eine rhythmische Parallele zum Herzschlag …von 65 bis 75 Schlägen pro Minute …zum Beispiel als ihn seine Mutter für verrückt erklärt, antwortet Hamlet auf eine Weise, in der Inhalt und Form eine vollkommene Einheit bilden:

‚Mein Puls wie Eurer schlägt gemessenen Takt/Musik, gesund wie Eure' [7]

Etliche Gedichte thematisieren Krankheit, Heilung, Gesundheit. Johann Wolfgang von Goethe gab im „Diwan" Tipps zu Heilpflanzen wie den Blättern des Gingko-Baums, die in der heutigen westlichen Medizin unter anderem bei Konzentrations- und Gedächtnisschwäche verschrieben werden.

Dieses Baums Blatt, der von Osten
Meinem Garten anvertraut,
Gibt geheimen Sinn zu kosten,
Wie's den Wissenden erbaut. [8]

Goethes allgemeiner Ratschlag:

Suche nicht vergebne Heilung!
Unsrer Krankheit schweres Geheimnis
Schwankt zwischen Übereilung
Und zwischen Versäumnis [9]

Viele Gedichte bedeutender deutscher Dichter sollen Trost spenden, bei Depression und Krankheiten helfen. Ja, wir können sie geradezu als Anleitung zur Meditation lesen. In diesem Sinne versteht der

---

[7] Zitiert nach: Don Campbell: *Die Heilkraft der Musik. Klänge für Körper und Seele.* Knaur Mens Sana, TB, München 2000, S. 102 f.)

[8] Quelle: http://www.literaturknoten.de/literatur/g/goethe/westost/suleika_diesebaumes.html

[9] Quelle: Goethe, Maximen und Reflexionen. Aphorismen und Aufzeichnungen. Nach den Handschriften des Goethe- und Schiller-Archivs hg. von Max Hecker, Verlag der Goethe-Gesellschaft, Weimar 1907. Aus dem Nachlass, Erstdrucke ab 1833. Hier nach der Anordnung von Max Hecker

Benediktiner und Zenlehrer Willigis Jäger das folgende Gedicht von
Rainer Maria Rilke aus dem „Stundenbuch":

"Wenn es nur einmal so ganz stille wäre.
Wenn das Zufällige und Ungefähre
Verstummte und das nachbarliche Lachen,
wenn das Geräusch, das meine Sinne machen,
mich nicht so sehr verhinderte am Wachen - ..." [10]

Natürlich überschreiten wir mit Gedichten das rein Rhythmische. Vom
Abzähl- und Kinderreim bis zu Rilke spannt sich ein weiter Bogen.
Doch immer geht es darum, über den Rhythmus noch eine andere
Ebene zu erreichen als nur die des intellektuellen Verstehens.

Die besondere Art, wie die Mutter ihr Baby anspricht, ist ein Beispiel
dafür. Die kanadische Psychologin Sandra Trehub erforscht seit 25 Jahren die Kommunikation zwischen Eltern und Kind und hat die Reaktionen von Säuglingen und Kleinkindern auf Sprache und Musik genau
studiert. Sie zeigen sich viel aufmerksamer, wenn sie langsam und
rhythmisch akzentuiert, in einer Art Singsang angesprochen werden.

Die Veden

Das Prinzip der bewussten Rhythmisierung von Sprache ist fast allen
Kulturen gemein. Einige Jahrhunderte vor Homer entstanden in
Nordindien die vedischen Gesänge. Sie wurden nur mündlich weitergegeben und auswendig gelernt. Die Sprache, Sanskrit, gilt als Mutter
aller indogermanischen, das heißt fast aller heute in Europa, Amerika

---

[10] Quelle. http://rainer-maria-rilke.de/05a007wennesstillwaer.html (8/2020)

und Australien gesprochenen Sprachen. Auch hier ging es um Versmaß und Rhythmus. Götter und Menschen sollten beschworen, gleichsam hypnotisiert werden.

Bestimmte Silben wie das heilige OM wurden stets wiederholt. Dieser Klang hatte wohl zunächst kaum mehr Bedeutung als unser „Oh!" oder „Ah!" Doch schon bald wurden ihm ganz besondere magische und spirituelle Eigenschaften zugesprochen. Und tatsächlich weisen heutige Studien nach, dass dieser Klang mehr harmonische Schwingungsverhältnisse im Organismus auslöst als etwa die ähnlich klingenden Silben am, em, im oder um. [11]

Zwischen die OMs wurde dann ein Wunsch, eine Lobpreisung, eine Segnung eingeschoben. So entstanden die Mantras, magische Formeln, um Gesundheit, Glück, Erfolg und Erkenntnis herbei zu zaubern.

Für den Wunsch nach Erkenntnis steht zum Beispiel das Mantra

„Om namo bhagavate vasudevaya"

„Om ist der Name für das in mir, was sich der Einheit aller Dinge bewusst ist." [12]

Im Atharva-Veda, eine der frühen Überlieferungen des Ayurveda, heißt es:

---

[11] Vgl. Jaan Karl Klasmann: *Gesundes Schwingen.* In: Psychologie Heute, Juli 2005,. S. 23, und Christian Salvesen: *Der ,Siebte' Tibeter. Die eigene Stimme entwickeln und erfolgreich einsetzen.* Scherz, Frankfurt 2004

[12] Zu hören auf der CD: Deva Premal: *Embrace* Track 2 "Om Namo Bhagavate", 7 min. (Medial/Silenzio)

„O Sonne, mach uns frei von Krankheit, geboren aus den Drei Säften (tridosha, d.h. kapha, vata und pitta)…O Sonne, lass diesen Menschen frei sein von Kopfschmerz und anderen Leiden, die mit Kapha verbunden sind; eingedrungen sind sie in jeden Teil seines Körpers. Befreie ihn von Kapha, welcher entstammt dem Regen und dem Wasser, befreie ihn von Vata, welcher entstammt der Luft, und befreie ihn vom Fieber, welches verursacht wurde durch eine Missbildung von Pitta. Mögen alle Leiden diesen Menschen verlassen und in die Wälder und einsamen Berge ziehen." [13]

Sicher, es wäre schön, nicht nur die „unmusikalische" deutsche Übersetzung zu lesen, sondern auch etwas vom Rhythmus des ursprünglichen Sanskrittextes mitzubekommen. Nehmen wir als Ersatz-Beispiel die berühmte Definition des Ayurveda von Charaka:

„hitahitam sukham duhkham-ayustasya hitahitam

manam ca tacca yatroktam ayurvedam sa ucyate" [14]

"Ayurveda befasst sich mit den guten und schlechten, glücklichen und unglücklichen Aspekten des Lebens, mit dem, was das Leben fördert und dem, was es nicht fördert, und der Beschaffenheit und Größe (dieser Aspekte)." [15]

Mit etwas Phantasie können wir uns vorstellen, wie die sich wiederholenden Endsilben „tam", „dam", „nam" und „ham" in einem

---

[13] Atharvaveda I, 12, zit. nach Dr. Vinod Verma: *Ayurveda. Der Weg des gesunden Lebens.* O.W. Barth/Scherz, Bern, München, Wien 1992, S. 19 (vgl. Christian Salvesen/Doris Iding. *Ayurveda hautnah. Die östliche ‚Lehre vom Leben' für den Westen.* O. W. Barth, Frankfurt, 2005, S. …)

[14] Charaka Samhita, Sutrasthanam, I.41
[15] Sharma, zit. n. Verma, op. cit. S. 11

Rhythmus schwingen. Selbst ein so komplexes, über 2000 Seiten um-
fassendes medizinisches Werk wie die Charaka Samhita war in Versen
abgefasst. Es hatte einen eingängigen, ja fast tanzbaren Rhythmus.
Geist und Körper strömten mit, wurden bei der Rezitation in Schwingung versetzt. Natürlich unterschied man schon im alten Indien ästhetische Qualitäten. Solche Qualitäten erscheinen als überregional und
geradezu zeitlos. Der Sprachforscher Johann Gottfried Herder zum
Beispiel empfand ein ganz besonderes Werk der klassischen indischen
Literatur, die Bhagavadgita, schon vor 200 Jahren als eines der schöns-
ten Gedichte aller Zeiten.

Für medizinische Sanskrit-Mantras hat sich später der tibetische Buddhismus stark gemacht. Das bekannteste Mantra ist das des Medizin-
Buddhas:

„Teyata om bekanze

bekanze maha bekanze

radza samudgate soha"

„Du, Medizin-Buddha, bist der König und höchste Heiler.

Bitte nimm die Krankheit, die Krankheit und die große Krankheit weg.
Das ist mein Gebet." [16]

Bemerkenswert ist auch das Mantra „Namu myoho renge kyo" 'Verehrung dem Lotos des wunderbaren Gesetzes.' In diesem Anfang von
Buddhas Lotus-Sutra sah Nichiren (13. Jahrhundert), Begründer des
volkstümlichen Nichirin-Buddhismus in Japan, die Essenz der Lehre.

---

[16] zu hören auf der CD: Deva Premal: Embrace (Medial/Silenzio)

Wer es ständig rezitiert, erlangt Glück, Weisheit und Befreiung. Auch viele Westler, darunter Musikstars wie Tina Turner oder der Komponist Phil Sawyer finden in diesem Mantra eine wunderbare Quelle der Inspiration und Konzentration. (siehe Teil 5)

Die Beschwörungsformeln des Heilens reichen wohl etliche Zehntausend Jahre in die Vorgeschichte der Menschheit zurück. Sie werden zum Teil heute noch von Schamanen in der Mongolei, in den Urwäldern des Amazonas oder von indianischen Medizinmännern in Nordamerika angewandt. Die Heiler murmeln oder singen immer wieder dieselben Worte und Silben, meist zur gleichmäßig geschlagenen Trommel. Das löst offensichtlich im „Patienten" eine Art Trance aus. (Mehr dazu im 2. Und 3. Teil dieses Buches)

Synchronizität

Zwischen Sprechen und Singen gibt es fließende Übergänge. Jeder gesprochene Satz hat einen bestimmten Rhythmus und eine Art Melodie. Beim Rezitieren von Gedichten treten diese Qualitäten deutlicher hervor. Deshalb werden Gedichte oft zu Liedern. Doch selbst beim stillen Lesen machen sich Rhythmus und sogar Melodik zumindest im Keim bemerkbar. Nur wenige Leser erfassen einen fortlaufenden Text wie diesen rein visuell, also wie ein Bild, wo alle Elemente gleichzeitig aufgenommen werden. Texte haben wie Melodien oder Trommelrhythmen in sich eine Zeitstruktur. Immerhin braucht es eine gewisse Zeit, eine Seite zu lesen. Was genau geschieht in dieser Zeit?

Ich möchte Sie zum Anfang dieses Kapitels zurückführen, zu der simplen Zählübung. Bitte lesen Sie noch einmal, erst laut, dann still, die Zeilen:

1, 2, 3, 4, 1, 2, 3, 4,

1, 2, 3, 4, 1, 2, 3, 4,

1, 2, 3, 4, 1, 2, 3, 4,

1, 2, 3, 4, 1, 2, 3, 4,

Während Sie lesen, laut oder innerlich, geschieht sehr vieles. Da sind Geräusche. Vielleicht hören Sie gerade Musik? Dann wird der Rhythmus des Zählens mit Sicherheit beeinflusst.

Ich möchte Sie bitten, eine Minute mit dem Daumen Ihren Puls zu fühlen und sich auf diesen Rhythmus innerlich einzustimmen. Und wenn Sie nun die Zahlen lesen, während Sie noch beim Puls sind – was geschieht? Sie lesen die Zahlen im Rhythmus des Pulsschlags. Oder?

Wie fühlt es sich an, gegen den Puls zu lesen – schneller..., langsamer? Es dürfte schwierig sein, fast unangenehm. Was wir hier erfahren, ist für das Verständnis des ganzen Buches enorm wichtig. Die verschiedenen Rhythmen des Lebens, in der Natur, im Körper und im Geist, scheinen sich gegenseitig zu beeinflussen. Worauf das zurückzuführen ist, dieser Frage widmen sich zahlreiche wissenschaftlicher Studien und Untersuchungen. Sie ist noch nicht abschließend beantwortet. Die hier wichtigen Fachbegriffe sind „Synchronizität", „Resonanz" und „Entrainment". Wir werden darauf immer wieder zurückkommen.

Dieses Kapitel ist mit „Synchronizität" überschrieben. Von den drei genannten Grundbegriffen ist Synchronizität wohl der mysteriöseste. Geprägt wurde der Begriff von dem Tiefenpsychologen Carl Gustav Jung. Er verstand darunter eine Beziehung zwischen einem „inneren" und einem „äußeren" Ereignis. Die Ereignisse finden (meist) gleichzeitig statt, stehen aber in keinem (erklärbaren) kausalen Verhältnis zueinander. Ihre Verbindung ist allerdings auch nicht rein zufällig, sondern in gewisser Weise sinnvoll: „Wenn ein Flugzeug vor mir abstürzt, wenn ich gerade die Nase putze, so ist das eine Koinzidenz ohne Sinn. Wenn ich aber in einem Laden ein blaues Kleid bestelle, und man irrtümlich ein schwarzes schickt, gerade an dem Tage, an dem ein naher Verwandter stirbt, so berührt mich das als ‚sinnvoller' Zufall." [17]

C.G. Jung hat über das Thema Synchronizität einen regen und sehr aufschlussreichen Briefwechsel mit dem Physiker Wolfgang Pauli geführt. [18] Immer wieder ging es um die Frage, ob und wie bestimmte Erlebnisse, auch Träume, äußere Ereignisse beeinflussen können und umgekehrt. Das eine kann das andere nicht im physikalischen Sinne verursachen, denn geistige (innere) Prozesse und physikalische (äußere) liegen ja – so die klassische Philosophie – auf ganz verschiedenen Ebenen. Doch all die alten ehrwürdigen Kategorien und Denkmuster brechen auf. Wir können an und mit uns selbst forschen und an diesem spannenden Aufbruch zu neuen Ufern unmittelbar teilnehmen.

Fragen der Selbsterforschung:

+++ Macht es einen Unterschied, ob ich die Zahlen mit dem bewussten Registrieren des Pulses lese oder nicht?

+++ Steuert der Pulsschlag womöglich in jedem Fall meinen Leserhythmus?

+++ Oder reagiert der Puls umgekehrt darauf, wie schnell oder langsam, in welchem Rhythmus ich lese?

---

[17] M.L. von Frantz: *Der Individuationsprozeß*, in: C.G. Jung: *Der Mensch und seine Symbole*, Olten und Freiburg i. Br., 7. Aufl. 1984, S. 211

[18] W. Pauli und C. G. Jung: *Ein Briefwechsel. 1932-1958*, Heidelberg 1992

Wir untersuchen hier das Phänomen der Synchronizität. Der Begriff wurde unter anderem auf Uhren angewendet, die sich nach einer gewissen Zeit aufeinander einschwingen. Schwingen sich Körper und Geist ebenso aufeinander ein? Wer oder was steuert wen oder was? Gibt es da ein Arrangement, ein Treffen in der Mitte?

Wollen Sie es noch einmal checken, mit und ohne Puls, laut und leise? Diesmal nicht nur mit Zahlen, sondern mit einem Gedicht?

„Es war einmal ein kleiner Specht

Der klopfte 1 (2,3), und hatte Recht

Er ratterte und hämmerte

Bis es bei Tausend dämmerte"

(Sie können sich auch selbst ein Gedicht „zusammenhämmern" - wie ich in diesem Fall)

TEIL 2: HEILENDES TANZEN – TRANCE UND EKSTASE

Shivas Tanz

Im Tanz verbindet sich der ganze Körper mit dem Rhythmus, der ihn erfasst. Alle Sinne sind aktiv: Bewegung im Takt der Musik, Gleichgewicht, Berührung. All das spielt ineinander.

Tanz ist Leben, das Leben ist ein Tanz. Dafür steht in der indischen Mythologie Gott Shiva, der Bewahrer und zugleich Zerstörer. Wörtlich bedeutet Shiva der Gnädige, Gütige oder der Freund. Er wird unter verschiedenen Aspekten verehrt, aber ein sehr wichtiger ist Nataraj, König (raja) des Tanzes (nata). Shiva Nataraj wird oft mit vier, acht oder mehr Armen dargestellt. Es sieht fast so aus, als sollte damit ein Bewegungsablauf wie in Zeitlupe gezeigt werden. Doch es handelt sich wohl eher um eine Repräsentation von Eigenschaften des Gottes. Denn in jeder Hand hält Shiva einen charakteristischen Gegenstand, zum Beispiel den Dreizack Trishul und die Trommel Damaru. Er gilt als Schöpfer des Wortes und der heiligen Silbe OM (bzw. A-U-M). Vor allem aber steht er für den ewigen Kreislauf des Lebens.

In unserer abendländisch-christlichen Tradition gibt es keinen tanzenden Gott. Falls Jesus je getanzt haben sollte, in der Bibel wird davon jedenfalls nichts berichtet. Nur der Tod tanzt, und spielt dazu – in mittelalterlichen Darstellungen – Geige. Was sagt uns das? Macht sich der Tod über uns lustig? Vielleicht ein Hinweis darauf, dass der Tod uns alle gleich macht?

Menschen aller Altersgruppen und Gesellschaftsschichten tanzen. Kinder, Teenager, Berufstätige und Rentner. Tanzen verbindet. In fast allen Kulturen hatte Tanzen ursprünglich die Bedeutung der Verbindung und Bindung. In einigen Gemeinschaften wird heute noch über den Tanz entschieden, wer zukünftig als Paar fürs Leben zusammenpasst.

Rhythmus, Metrum, Takt und Tempo

Wir fühlen, spüren den Rhythmus bei jedem Musikstück. Doch wenn wir sagen sollten, was denn genau Rhythmus ist, etwa im Unterschied zu Metrum, Takt und Tempo, das ist nicht so einfach. Metrum ist der gleichmäßige Grundschlag, auch Puls oder <u>Beat</u> genannt. Durch die Einteilung dieses Grundschlags in betonte und unbetonte Schläge entsteht der <u>Takt</u>. Stellen wir uns ein gleichmäßig tickendes Metronom vor. Betonen wir **1,** 2, 3, **4,** 5 6, **7,** 8, 9 haben wir einen Dreiviertel (Walzertakt). Betonen wir **1,** 2, 3, 4, **5,** 6, 7, 8, dann ergibt das einen Viervierteltakt, zum Beispiel einen Marsch oder einen Foxtrott. Im Rahmen der „Dreier"- und „Vierer"-Takte gibt es Variationen: 6/8, 9/8, 2/4, 2/2 Takte. Außerdem gibt es komplizierte Takte wie 5/4 (jeder fünfte Schlag wird betont. Beispiel: das berühmte Jazzstück „Take Five") oder 7/8 (jeder 7. Schlag wird betont, häufig in indischen Ragas).

Der Rhythmus legt eigentlich nur fest, wie lange ein Ton *im Verhältnis* zum nächsten dauert: Halb so lang, doppelt so lang? In der abendländischen Notation wäre ein Rhythmus bereits definiert durch die Abfolge: Halbe, zwei Viertel, Halbe, zwei Viertel. Das wird in der Regel ein Viervierteltakt sein, muss aber nicht. Und wie schnell das abläuft, wissen wir auch nicht. Das sagt uns die Tempobezeichnung.

Johann Sebastian Bach (1685-1750) gab wie die Komponisten seiner Zeit nur knapp das Tempo in Italienisch an:

„Largo", (breit), „Adagio", (langsam), „Andante", (gehend), „Moderato", (mäßig bewegt), „Allegro" (schnell), Presto (Sehr schnell). Oder er überschrieb ein Stück mit „Air", „Sarabande", „Gigue", Bezeichnungen für Tänze, bei denen jeder Musiker seiner Zeit wusste, welches Tempo gemeint war. Bei den Präludien und Fugen muss der Interpret das Tempo aus der Struktur der Komposition erfassen.

Wolfgang Amadeus Mozart (1756-1791) differenzierte stärker, ebenfalls in der damals gebräuchlichen italienischen Sprache: „Allegro ma non troppo" (schnell, aber nicht zu sehr). Anfang des 19. Jahrhunderts kam das Metronom auf. Damit konnte - durch Verschiebung eines Gewichts an einem hin und her schwingenden Zeiger - genau eingestellt werden, wie viele Schläge pro Minute gezählt werden sollten. Dann konnte man entscheiden: Eine Viertel = 60, und das Metronom tickte genau 60 Mal pro Minute. Der Pianovirtuose, Komponist und Lehrer Carl Czerny (1791-1857) benutzte in seinen berühmten Etüden Metronomangaben.

Robert Schumann (1810-1856) dagegen überschrieb seine Kompositionen mit deutschen Tempo- und Vortragsangaben wie „sehr innig, nicht zu schnell". Oder ein Stück („Kreisleriana", op. 16) soll „so schnell wie möglich" begonnen werden, doch bald heißt es dann „noch schneller" und noch einmal „noch schneller".

In den vergangenen Jahren entfachte die Kölner Musikwissenschaftlerin und Pianistin Grete Wehmeyer eine erregte Diskussion mit ihrer Behauptung, klassische Musik würde seit 100 Jahren zu schnell gespielt. Eine Sinfonie von Beethoven etwa sei zu seiner Zeit etwa um ein Drittel langsamer gespielt worden als heute. [19]

---

[19] Vgl. Grete Wehmeyer: *„Zu Hilfe! zu Hilfe! Sonst bin ich verloren". MOZART und die Geschwindigkeit.* Kellner Verlag Hamburg 1990

Was wir beim Tanzen als Rhythmus empfinden, ist jedenfalls ein Zusammenspiel aus verschiedenen musikalischen „Parametern": Metrum (Beat), Takt (Betonung), Rhythmus (Verhältnis von längeren und kürzeren Notenwerten/Tönen) und Tempo. Der berühmte Rhythmus am Anfang von Beethovens 5. Sinfonie (auch „Schicksalssinfonie" genannt) – da, da, da, daaa, (Pause) da, da, da, daaa (Pause) - kann ganz unterschiedlich auf uns wirken, je nachdem, welches Tempo der Dirigent wählt. Beethovens Vorschrift „Allegro con brio" (schnell, mit Glanz) lässt da viel Spielraum. Klopft das Schicksal drängend, fordernd an die Tür unseres Herzens, oder ganz cool, lässig?

Und vergessen wir nicht: Auch die Pause gehört zum Rhythmus. Nicht selten ist sie wichtiger als der erklingende Ton. Der Anfang von Beethovens „Schicksalssinfonie" ist dafür ein gutes Beispiel. Wird die Pause nach den vier ersten Tönen ein wenig länger als „vorgeschrieben" gehalten, kann das die psychologische Wirkung auf den Hörer verändern, und zwar in ganz unterschiedliche Richtungen: Abnahme oder Erhöhung der Spannung. In welche Richtung das geht, hängt wiederum von weiteren objektiven musikalischen Qualitäten ab (ganz abgesehen von der subjektiven Seite, der Stimmung und Aufnahmefähigkeit). [20]

Die Trommel spricht ... und heilt

Am deutlichsten erkennen wir einen musikalischen Rhythmus bei Schlaginstrumenten. Deshalb wollen wir uns in diesem Teil vor allem

---

[20] Zum Thema der bewusst gesetzten Pause siehe auch Christian Salvesen: Der „Siebte" Tibeter,

mit der Trommel befassen, die zudem eine lange und interessante Geschichte hat. Ursprünglich hatten große Trommeln aus Baumstämmen Signalfunktion und sollten Botschaften über weite Entfernungen transportieren. Im Unterschied zum Handytalk schwingt dabei etwas Unheimliches mit. Am Anfang des dreiteiligen CD-Sets *'In the Beginning was the Drum'* [21] schlagen wilde Schimpansen mit Knüppeln auf hohle Baumstämme und lösen damit bei allen anderen Tieren des Waldes stummes Entsetzen aus. Da ist - anders als beim Hämmern eines Spechtes, Magie am Werk.

War am Anfang die Trommel? Sie ist zweifellos das wichtigste Instrument der Schamanen, nachweislich seit über 30.000 Jahren rund um den Globus. Im Schlag der Trommel erleben wir Rhythmus pur, noch ohne die Verbindung mit den beiden anderen Hauptparametern oder Qualitäten in der Musik: Melodie und Harmonie. Unterschiedliche Arten von Trommeln und diverse andere Schlaginstrumente wurden und werden zu ganz verschiedenen Anlässen und Zwecken eingesetzt.

(a) Trance: Der gleichmäßige, monotone Schlag der Schamanentrommel verlangsamt die Schwingungen im Gehirn und regt zu einer „schamanischen Reise" an.

(b) Kommunikation und Gemeinschaft: Bestimmte Trommelrhythmen beschwören Geister, andere verbinden die Mitglieder einer Gemeinschaft bei Ritualen und Feiern.

(c) Ekstase. Im Trancetanz werden emotionale Blockaden durchbrochen und Lebendigkeit durchströmt Körper, Geist und Seele.

---

[21] Various Artists: *The Big Bang: In the Beginning was the Drum*, 3 CDS, ellipsis arts 1994

Während der Ethnologe Carlos Castaneda seine schamanischen Don-Juan-Abenteuer weltweit über Bücher verbreitete, begründete Prof. Michael Harner 1971 die 'Foundation of Shamanistic Studies'. Er rekonstruierte eine uralte, wirksame Methode, Castanedas vielbeschworene 'nichtalltägliche Wirklichkeit' - das 'Nagual' - kennenzulernen, ohne nachts im Meskalinrausch durch mexikanische Wüstenlandschaft rennen zu müssen. Harners Schüler, Paul Uccusic aus Wien, machte die Methode der 'schamanischen Reise' in Europa sogar über die Volkshochschule bekannt.

Die schamanische Reise wird nach einfachsten Vorkehrungen angetreten und von über 80% der Seminarteilnehmer mit konkreten Ergebnissen abgeschlossen. Die Reisenden liegen still auf einer Decke, die Augen sind geschlossen und mit einem Tuch abgedeckt. In seiner Vorstellung sucht sich jeder seinen Platz in der Natur und lenkt seine Aufmerksamkeit auf einen Eingang, eine Fels- oder Baumhöhle, ein Erdloch. Der gleichmäßige Schlag der Schamanentrommel setzt ein. Der Eingang gestaltet sich zu einem Tunnel, der in die 'Nichtalltägliche Wirklichkeit', in diesem Fall in die 'Untere Welt' führt. „Was immer Sie sehen, Sie haben das Gefühl, dass es *wirklich* ist, dass es *tatsächlich* passiert. Zu erklären ist das schwer, weil hier der Vergleich mit dem Traum zu hinken beginnt. Eine schamanische Reise ist eben eine Reise und kein Traum." [22]

---

[22] Paul Uccusic: *Der Schamane in uns. Schamanismus als neue Selbsterfahrung, Hilfe und Heilung.* Goldmann, München 1993, S. 45

Der folgende Bericht stammt von einem jungen Mann, der ohne schamanische Vorkenntnisse während eines Volkhochschulkurses 'gereist' ist:

"Ich stehe auf meinem gewohnten Platz in der Natur. Der Felsschlund steht weit offen. Der Klang der Trommel zieht mich hinein. Zuerst ist es finster im Gang - dann kommt so etwas wie Licht von den Seiten. Es ist eng, aber irgendwie gelange ich weiter. Dunkle, zähschleimige Massen rinnen von den Wänden - besser: schmieren sich den Fels entlang - , ich möchte fort, aber die Trommel zieht mich weiter hinunter. Irgendwas greift nach mir, ich rutsche schneller - schließlich erscheint am Ende des Tunnels ein Licht, und ich trete aus dem engen Rohr heraus. Kurz sehe ich mich um, da steht schon ein Reh. Ich steige auf, los geht der Ritt durch eine phantastische Landschaft: Berge aus Kristallen, smaragdgrüne Seen, grandiose Wasserfälle, übermannsgroße Orchideen - eine Zauberwelt. Die Trommel endet - ich verabschiede mich von meinem Reh und kehre zurück...es ist nahezu unglaublich." [23]

So fantastisch und spannend sich eine solche Reise gestalten mag, sie soll nicht der Unterhaltung oder einer Flucht vor Problemen dienen, sondern ist immer mit einer klaren Zielsetzung verbunden. Schamanen „reisen" nicht zum Spaß, sondern um im Dienst der Gemeinschaft Antworten auf drängende Fragen zu finden oder zu heilen. Heilungen sind in Uccusics Basis-Seminaren zwar nicht vorgesehen, wohl aber Problemklärungen. Eine simple Frage wie: 'Soll ich meinen Job wechseln?' verwandelt sich bekanntlich durch zweifelndes Hin- und Herüberlegen und alle möglichen Ratschläge von Bekannten leicht in ein ausweglos scheinendes Problem.

---

[23] Uccusic, op. cit. S. 20

38

Andersherum hilft es ungemein, eine verworrene Situation auf das Format einer klaren, einfachen Frage zu bringen - wobei ein erfahrener Schamane beraten kann. Ist die Frage auf den Punkt gebracht, wird sie vor Antritt der Reise dreimal innerlich formuliert und mit in die 'Nichtalltägliche Wirklichkeit' genommen. Dort kommt die Antwort in Form von Worten, Gesten oder Bildern von einem 'Lehrer', der als vermummte Gestalt, als Mensch oder Tier erscheint.

Trancebeat und Thetawellen

Bei der schamanischen Reise ist die gehörte Trommel nicht Teil der 'Zauberwelt', sondern des Seminarraums. Ihr gleichmäßiger Grundschlag führt den auf dem Boden Liegenden in die 'nichtalltägliche Wirklichkeit' und auch wieder zurück. Der Rhythmus dient „dem Schamanen als Ariadne-Faden, als ständig vorhandene 'Nabelschnur', die den wandernden Geist immer mit dem Hier und Jetzt seines Ausgangspunktes verbindet. Insofern ist die Trommel die eigentliche Mittlerin zwischen den Welten. Das ist auch der Grund für den Respekt, mit dem sie in der Regel behandelt wird." [24]

Schamanische Trommeln bestehen meist aus einem runden, mit Tierfell bespannten Holzrahmen. Zur großen Familie solcher Rahmentrommel gehören das Tamburin, die irische Bodhran, die arabische Tar, die Handtrommeln der indianischen und sibirischen Schamanen.

---

[24] George Pennington: *Die Schamanentrommel* in:

Esotera 2/1990, S 53-55

Die Herstellung einer Trommel ist in der schamanischen Tradition mit vielen Vorbereitungen verbunden, die sich auf die 'Nichtalltägliche Wirklichkeit' beziehen. Bei dem Turkvolk der Khakassen lässt der Schamane die Trommel nach genauen, in der Trance empfangenen Anweisungen anfertigen und führt sie schließlich dem 'Herrn des Universums' vor, der sie überprüft und dem Schamanen die passenden Geister zuordnet. [25]

Das Schlagen der Trommel hat mehrere Funktionen. Als 'Frequenzmodulator des Bewusstseins' [26] führt der Trommelrhythmus gezielt in verschieden tiefe Trancezustände, die in der neueren Forschung an der Frequenz von Gehirnwellen gemessen werden. „Monotones, also nichtsynkopiertes Trommeln ist jenes Geräusch, das den Schamanischen Bewusstseinszustand am ehesten auslöst. Gehirnstromkurven zeigen die charakteristische Theta-Schwingung, die als 'Phase besonderer Kreativität' bekannt ist, in der paranormale Phänomene bevorzugt auftreten. Damit kommt der Frequenz eine nicht unbeträchtliche Bedeutung zu - vier bis sieben Impulse pro Sekunde bringen erfahrungsgemäß die besten Ergebnisse." [27]

---

[25] Mickey Hart: *Die magische Trommel*. Goldmann, München 1994, S. 226ff.

[26] Holger Kalweit: *Schamanentum, schamanische Psychotherapie*, in: Spirituelle Wege und transpersonale Psychotherapie, hg von Edith Zundel und Bernd Fittkau, Paderborn 1989,.S 33-42 und 145-162. Siehe auch: Holger Kalweit: *Traumzeit und innerer Raum. Die Welt der Schamanen*. O.W. Barth, Bern, München 2002

[27] Uccusic, op. cit. S. 40

Bei 12 - 20 Hertz bzw. Trommelschlägen pro Sekunde wird der Reisende aus einer tiefen Trance in den Betabereich geholt, wo sich die Gehirnaktivität stärker auf die Außenwelt bezieht. Der Schamane kann durch höhere Frequenzen einem Abdriften oder „Ausspacen" entgegenwirken. In manchen Workshops trommeln alle Teilnehmer im einheitlichen Beat, der schneller oder langsamer wird, um die Aufmerksamkeit zu erhöhen. Genau gleichzeitig das Tempo zu verändern erfordert Präsenz und Wachheit im Hier und Jetzt, was wiederum einen Anstieg der Energie bedeutet. Erst nachdem genügend 'Energie aufgebaut ist', beginnt die schamanische Reise unter Anleitung des trommelnden Schamanen, der weiterhin wach und präsent bleibt. Die Vermutung liegt nahe, dass Aufnahmen mit akustischen (live) Trommeln mehr von dieser kaum greifbaren Energie vermitteln als der rein elektronische Beat des „Techno-Trance".

Der monotone Trommelschlag verengt die sinnliche Wahrnehmung (Sensory Deprivation). Einen ähnlichen Effekt sollen die indianischen und afrikanischen Rasseln, die australischen Klanghölzer und Didgeridoos, die sibirischen, mit einer Saite bespannten schamanischen Bögen, die nepalesischen Klangschalen oder die chinesischen Glocken und Klangkugeln haben. Doch hier fehlt meist das rhythmische Element, das die Trommel zum wichtigsten, seit Jahrtausenden auf der ganzen Erde verbreiteten akustischen Instrument für die Schamanische Reise gemacht hat.

Auf seinen CDs schlägt Michael Harner eine Stunde lang die gleichmäßigen vier Schläge pro Sekunde auf einer runden Handtrommel, wie es die Schamanen Zentralsibiriens und Nordamerikas seit wenigstens 30.000 Jahren tun. Musikalisch in keiner Weise reizvoll, aber für das schamanische Reisen im Rahmen seiner 'Foundation of Shamanistic Studies' (FSS) gerade richtig. [28]

Trance und Heilung

„Der Kranke liegt vor seiner Hütte. Er fiebert, die Schmerzen sind unerträglich. Zwei Schamanen arbeiten an seinem Krankenlager. Der eine, der Tanzschamane, hat einen Assistenten mitgebracht, der mit einer Klapper den Rhythmus schlägt. Der Tanz dauert Stunden, den ganzen Nachmittag, den Abend, die Nacht hindurch. Die Zuschauer, die anfangs in Scharen herumsaßen, haben sich längst verzogen. Mit starren Augen, wie eine Puppe, tanzt der Schamane weiter. Die Sonne steht schon wieder am Himmel, als er erschöpft niedersinkt. Der Kranke fühlt sich seltsam erleichtert. Nun haben sich der Tanzschamane und die Heilschamanin zusammengesetzt und reden. Der eine erklärt, was er während des Tanzes gesehen hat, die Frau hört aufmerksam zu. Sie wird kommende Nacht versuchen, die Krankheit zu entfernen. Am späten Nachmittag kommt sie wieder. Sie hat ein Medizinbündel aus Otterfell und ihr Schamanenkostüm mitgebracht. Ihr eigenes Gewand zieht sie aus und versteckt es weit außerhalb des Hauses. Sie beginnt zu singen, ruft ihre Hilfsgeister. Auch andere können diese fremden Stimmen hören, erschrecken dabei - und bleiben doch fasziniert sitzen.

---

[28] CD-Tipp: Michael Harner: *Shamanic Journey Solo and Double Drumming* (FSS/Silenzio) und Laura Chandler: *Sacred Drums for the Shamanic Journey*

Schnelle, abgehackte Bewegungen lassen die Umstehenden meinen, da sei der Spirit in ihr lebendig; es sei nicht mehr sie selbst, die sich da über dem Kranken bewegt, mit einem Feuersteinmesser und einem hohlen Knochen. Jetzt - unter dem Herz setzt sie das Messer an, dann das Knöchelchen. Mit ihrem Mund beginnt sie an dem Knochen zu saugen - schließlich verzerrt sich ihr Gesicht, sie stöhnt und schreit laut und fällt plötzlich nach hinten. Auf der Haut des Kranken liegt ein Kügelchen Kojotenhaar. Der Mann hat das alles kaum mitbekommen, er hat nur gespürt, wie seine Schmerzen plötzlich verschwunden sind. Er ist nur noch grenzenlos müde; er fällt - zum ersten mal seit Wochen - in einen tiefen, erholsamen Schlaf. Auch die Schamanin ist müde - und glücklich, den Schmerz, die Krankheit beseitigt zu haben. Sie nimmt die Gaben, die die Familie des Kranken für sie bereitgestellt hat, mit Dank und geht heim in ihr Dorf." [29]

Szene einer schamanischen Krankenbehandlung bei den Ohlonen-Indianern. Beim Trance-Tanzen wird die Krankheit „diagnostiziert", im Zustand der Besessenheit wird der Krankheitserreger aus dem Körper „heraus gesogen". In der schamanischen 'Pathologie' lassen sich alle Krankheiten auf zwei Grundursachen zurückführen: Entweder man hat etwas zuviel in sich, was entfernt werden muss - ein Fremdkörper oder Eindringling - , oder es fehlt einem etwas, was herbeigeschafft werden muss - Kraft, verlorene Seelenteile etc.

Natürlich kann diese Form schamanischer Heilung nicht 1:1 auf unsere westliche Medizin übertragen werden. Doch die traditionellen Heilmethoden anderer Kulturen und indigener Völker werden heute von Wissenschaftlern und Medizinern längst nicht mehr ignoriert oder

---

[29] aus: Malcolm Margolin: *The Ohlone Way*. Zitiert nach Uccusic, op. cit..

belächelt. Im Oktober 2005 kamen Schamanen, Heiler, Ärzte und Wissenschaftler aus aller Welt nach München zum *Weltkongress für Ethnotherapien*, um „Erfahrungen und Reflektionen im Spannungsfeld der Ethnomedizin" zu vermitteln. Alljährlich findet seitdem der vom Institut für Ganzheitsmedizin e.V. veranstaltete Kongress des Ganzheitlichen Heilens statt. [30]

Wenn gegensätzliche Glaubenssysteme, hier traditionelle Heilmethoden anderer Völker und die moderne westliche Medizin, aufeinanderstoßen, entsteht ein Spannungsfeld. Wir können das – so Prof. Dr. Stanley Krippner, einer der bedeutendsten Schamanismusforscher unserer Zeit – dialektisch im Sinne des Philosophen Hegel verstehen. Aus These (einheimische Heiltradition) und Antithese (westliche Medizin) entsteht die Synthese. Sie kann, je nach Ort und Zeit auf diesem Planeten, sehr unterschiedlich ausfallen. Mal setzt sich die westliche Medizin durch, mal die einheimische und oft entsteht eine echte Synthese, wo sich aus der Teamarbeit von traditionellen Heilern und Ärzten ein neuer und erfolgreicher ganzheitlicher Ansatz ergibt. Laut Krippner ist der Austausch zwischen traditionellen Heilweisen – die schamanischen stellen dabei übrigens nur eine Untergruppe dar – und moderner Medizin auch deshalb so wichtig, weil in den großen westlichen Städten so viele Menschen aller Nationen und Kulturen leben. Ihre Auffassungen von Gesundheit und Krankheit sind sehr unterschiedlich. Das spielt bei der ärztlichen Behandlung aber eine wichtige Rolle. Der Arzt sollte sich in Ethnomedizin auskennen.

Ich möchte im Folgenden drei Beispiele für die Verbindung von Trance und Heilung im Kontext westlicher Medizin anführen.

Auf einem Vortrag in der Eppendorfer Universitätsklinik stellte Frau Prof. Dr. Luh Ketut Suryani bereits 1995 dar, dass es auf Bali fast keine psychiatrischen Fälle (Schizophrenie etc.) gibt, *weil* Trance (hier vor

---

[30] https://institut-ganzheitsmedizin.de/events/202005-weltkongress.html

allem 'Besessenheit') als natürlicher Zustand kulturell integriert ist. Sie arbeitete damals schon an der Entwicklung von Heilmethoden, die traditionelle Heilkunde, speziell Trance, mit moderner westlicher Psychiatrie verbinden. In ihrem Krankenhaus in Denpassar, Bali, wurden diese Methoden in Zusammenarbeit mit einheimischen Heilern erfolgreich eingesetzt. [31]

Die Musikpsychotherapeutin Sabine Rittner wiederum forscht, therapiert und lehrt seit Jahrzehnten an der Nahtstelle von Klang und Trance bzw. erweiterten Bewusstseinszuständen. Sie gibt auch regelmäßig Kurse und Seminare für alle, die erweiterte oder veränderte Bewusstseinszustände in einem medizinisch-fachlich abgesicherten Setting erleben möchten. Zurzeit arbeitet sie an der Fakultät für medizinische Psychologie an der Universität Heidelberg. Psychosomatik, Onkologie, chronische Krankheiten, Frühtraumatisierungen, Stimmstörungen, allgemeine Lebenskrisen sind die Problemfelder. Sie bezieht dabei die Forschung von Prof. Felicitas Goodman ein, die in steinzeitlichen Figuren und Zeichnungen bestimmte Trance induzierende Körperhaltungen entdeckte. Doch ebenso wichtig ist Sabine Rittner der Einsatz der menschlichen Stimme und des Monochords. In Studien konnte sie die Wirkung verschiedener traditioneller (schamanischer) Methoden wissenschaftlich nachweisen.

Hören bedeutet für Rittner: „Kontakt. Kontakt nach außen, Kontakt nach innen -hineinlauschend oder heraushörend-, in besonderen Augenblicken auch Kontakt zum Unhörbaren." Während einer Therapiestunde oder eines Seminars „vergesse" sie alles andere um sich herum, sagt sie in einem Interview.

---

[31] Luh Ketut Suryani's Buch „Trance and Possession in Bali" (Oxford U.P., 1993) gilt in der Fachwelt als Standardwerk.

„Ich tauche ein in die Tiefendimension des Augenblicks, die Begegnung, den momentanen Prozess, den ich als Gestalt höre, spüre, sehe. Häufig gehe ich in einen tranceartigen Zustand fokussierter Präsenz, einen Ort innerer Stille und Klarheit, an welchem Wissen, Erfahrung und Intuition miteinander verschmelzen."

Zur Wirkung von Musiktherapie und ihrer Arbeit meint Sabine Rittner:

„Was tatsächlich „wirkt", d.h. hindurch schwingt, günstigstenfalls heilt, das sind nicht therapeutische "Techniken", auch nicht Töne, Klänge, Rhythmen, Skalen oder Melodien per se. Diese wirken immer unter dem Einfluss der Biografie, des gesellschaftlichen und situativen Kontextes, von Set und Setting, in denen sie gehört, gespürt, erfahren werden können. Die Art und Weise ihrer Aufnahme und Verarbeitung ist Ausdruck einer Beziehung: zu mir selbst, zum anderen, zur Welt. Die Musik, aber auch der Atem, die Stimme, die Bewegung, die achtsame Berührung, das Visualisieren, das Spürbewusstsein fungieren für mich als Mittler, als körpereigene Berater. Mit dem ihnen innewohnenden Selbstheilungspotential sind sie kompetente Begleiter beim Oszillieren zwischen Regression, Stagnation und Progression im therapeutischen Prozess. Daher bezeichne ich meinen methodischen Ansatz als "Körperorientierte Musikpsychotherapie". [32]

Im Rahmen einer 'Transpersonalen Psychotherapie' versteht Dr. med. Joachim Galuska, Leiter der Fachklinik Heiligenfeld, die Klinik als „kollektives Energiefeld, an dem alle Mitarbeiter und Patienten

---

[32] Musiktherapeutische Umschau 2002 23, 1 2002, S.72-79, zit. aus www.sabinerittner.de

teilhaben und das Heilungsprozesse ermöglichen soll" [33] Baut sich bei schamanischen Heilzeremonien nicht genau so ein überpersönliches Energiefeld auf? Welche Zusammenhänge sieht Dr. Galuska zwischen seiner Arbeit und der eines Heilschamanen? Welche Rolle spielt Trance in der modernen westlichen Medizin und Psychotherapie?

„Zunächst muss bei der Weite des Trancebegriffs geklärt werden, um welche Art der Trance es gehen soll. Wir arbeiten in der Klinik mit Methoden, die wach machen, während Trance überwiegend mit einer eingeschränkten Bewusstheit assoziiert wird. Die Patienten sollen am Heilungsprozess bewusst und aktiv mitwirken. Darauf wird in der schamanischen Tradition kaum Wert gelegt. Doch wie bei den Schamanen ist der Ansatz der Transpersonalen Psychotherapie von einer hohen Achtung gegenüber allem Lebendigen und Mutter Erde bestimmt, was wiederum in der herkömmlichen westlichen Schulmedizin leider noch fehlt. Der Tranceaspekt zeigt sich dort vor allem in der Schmerzbehandlung: Die Narkose als chemisch induzierte Trance, wobei die Anästhesie zunehmend auch mit Hypnosetechniken wie NLP oder Akupunktur arbeitet. Das Set-Up eines chirurgischen Eingriffs - Chefarzt, Weißkittel, Apparaturen etc. - ist wie ein schamanisches Ritual in modernem Gewand."

Welche der in der Fach-Klinik von Heiligenfeld eingesetzten therapeutischen Methoden könnte als Trance-Technik bezeichnet werden?

„Versteht man Meditation als eine besondere, sehr wache Trance, dann gehören unsere Meditationen vom Zen bis zu Oshos Dynamischer Meditation dazu. Sehr gute Erfahrungen haben wir mit Flatischlers

---

[33] Joachim Galuska: *Transpersonale stationäre Psychotherapie*, in: Transpersonale Psychologie und Psychotherapie, 1/1996, S. 23-33.

Rhythmuskonzept TA KE TI NA. Gerade Schwer- und Frühgestörte werden durch das Trommeln und Improvisieren gut 'geerdet'." [34]

Trance-Tanz

Ein schamanisch-ritueller Tanz wie der Sonnentanz der Prärie-Indianer wird monatelang durch reinigendes Fasten, Schwitzhütten und verschiedene Zeremonien vorbereitet. Der Tanz selbst dauert Tage, mit kurzen Ruhepausen dazwischen. Die Tänzer dürfen weder trinken noch essen, müssen Hitze und Kälte aushalten, die Füße sind blutig. Schließlich fallen sie erschöpft um und haben dann die gesuchte Vision.

Ausdauer (bis zum erschöpften Umfallen) ist ein Merkmal des Trance-Tanzes. Wenn die Derwische des Mevlana-Ordens ihre Kreise zur immer schneller werdenden Rahmentrommel drehen, wollen sie allerdings keinem Krafttier begegnen, sondern mit dem einen, gestaltlosen Gott Allah verschmelzen. Die Trance wird zur religiösen, mystischen Verzückung, zur Ekstase. Die erlebten Inhalte unterscheiden sich - zum Teil kulturell bedingt. Doch in beiden Fällen löst die körperliche Verausgabung einen besonderen Energieschub aus, der medizinisch-biochemisch auf die Ausschüttung bestimmter körpereigener Drogen zurückgeführt wird.

---

[34] Aus einem Interview, das ich mit Joachim Galuska im April 1997 führte

Der Musikwissenschaftler Prof. Dr. Wolfgang Stroh schrieb 1994 in seinem Buch über New-Age-Musik: „Langanhaltendes Drehen im Rahmen eines ekstatischen Tanzes kann körpereigene Drogen (insbesondere die LSD-ähnliche Kombination von Noradrenalin, Dopamin und Serotin) mobilisieren, ein Effekt, der nicht nur auf Wiener-Walzer-Parkettböden, sondern auch beim Marathonlauf, bei 'ritueller Reizüberflutung' oder intensiver sexueller Selbsterregung eintreten konnte". [35]

2005 differenziert der Psychobiologe Dieter Vaitle in einem Interview der Zeitschrift *Psychologie Heute* zwischen ganz verschiedenen Arten von Trance, Zugängen zu erweiterten Bewusstseinszuständen (von Extremsport bis Drogen) und stellt einen enorm vielschichtigen biochemischen Zusammenhang etwa zwischen Tanz und Trance fest:

„Die rhythmische Bewegung versetzt den Atemfluss in einen bestimmten Rhythmus. Dadurch kommt der Blutdruck in bestimmte Schwankungen, was sich wiederum auf das Gehirn auswirkt. Diesen Zusammenhang kennen wir erst seit kurzem. Der physiologische Mechanismus, der hinter dem Zusammenhang zwischen Trommeln, Tanzen und Trance steht, wäre also eine Hypersynchronisation von Rhythmus, Bewegung, Atmung, Kreislauf und Gehirnaktivität." [36]

---

[35] Wolfgang Martin Stroh: *Handbuch New Age Musik. Auf der Suche nach neuen musikalischen Erfahrungen.* ConBrio-Fachbuch, Band 1, Regensburg 1994, S. 148

[36] *Bloß trockene Gehirne fallen nicht in Trance.* Interview mit Dieter Vaitle in: Psychologie Heute, Juli 2005

Variationen des schamanischen Trancetanzes finden zunehmend Eingang in westliche Psychotherapien. Der Tanz ist kürzer und chaotischer als etwa bei den Indianern oder Sufis. Aufgestaute Emotionen sollen ausgedrückt und herausgelassen werden, was in etwa dem reinigenden (kathartischen) Effekt langer Fastenvorbereitung entspricht. Die Verkürzung bedeutet nicht unbedingt eine Verflachung.

Frank Natale (1941 – 2002) zählt neben Fritz Perls und Abraham Maslow zu den Pionieren der humanistischen Psychologie. Das von ihm gegründete Phoenix House in New York ist heute das weltweit größte Zentrum für Drogentherapie. 'The Natale Institute' (TNT) in Amsterdam bietet über ein Netzwerk von Mitarbeitern schamanische Seminare, Rituale und 'drumming circles' in ganz Europa an. Unter dem Projektnamen **'Professor Trance & the Energisers'** sind mehrere Trance-Tanz-CDs erschienen, die in Workshops und Discos gespielt werden. Auf **'Shaman's Breath'** (Island) führt Prof. Trance alias Frank Natale in die Trance. Nach einer kurzen Ansprache – „Dancing is one of the greatest pleasures in life" - wird tief und rhythmisch geatmet, es grunzt und stöhnt und loopt. Starke Samples und akustisch/elektronische Trommelrhythmen schaffen eine erregende Atmosphäre. Musikalischer Techno mit Tiefgang.

Im (englischsprachigen) Booklet heißt es:

„Trance-Tanz ist eine uralte schamanische Methode, den 'Spirit' in unseren Körper einzuladen und uns durch spirituelle Ekstase zu heilen. Über 40.000 Jahre lang haben die Ureinwohner auf der ganzen Erde praktiziert, was heute unbewusst in den Dance Clubs passiert, nämlich verlorene 'Seelenanteile' heimzubringen und somit die ekstatische Erfahrung spiritueller Ganzheit zu machen. Bedeutsame Erinnerungen aus diesem und vergangenen Leben, ja sogar aus denen in vormenschlicher Gestalt werden beim Trance Tanz lebendig. Wir tanzen von innen nach außen. Wir sehen und erfahren uns durch die zeitlosen Sinne des Spirits, ohne die Konditionierungen und Begrenzungen der normalen Wirklichkeit. Jeder kann Trance-Tanzen, denn es gibt keine bestimmten Schritte und äußeren Anforderungen. Spirit kennt die Schritte. Ist er erweckt, übernimmt er die Kontrolle. Unser Körper bewegt sich jenseits der normalen Wirklichkeit auf eine Art, die mit Urerfahrungen der Bewusstseins-Evolution zu tun hat. Trance Tanzen ermächtigt uns dazu, solche Ereignisse wieder zu erleben und zu verstehen. Trance Dancing hat nichts mit den Erwartungen anderer zu tun. Es geht ausschließlich darum, unsere zeitlose Existenz zu offenbaren. Trance Dancing ist entspannend, energetisierend und heilt einen emotional, physisch, mental und spirituell." [37]

Dynamische Meditation

„Der wahre Künstler denkt sicherlich an Totalität, aber nie an Perfektion. Er will total sein, das ist alles. Wenn er tanzt, möchte er sich im Tanz auflösen." [38]

Die 'Dynamische Meditation' von Osho (Bhagwan Shree Rajneesh) setzt die Gegenspieler Chaos und Rhythmus ein. Sie kombiniert in 60 Minuten wirksame Techniken des Schamanismus, des Yoga, der Sufis

---

[37] Professor Trance & the Energisers: *Shaman's Breath* (Island Records). Booklet. (Übersetzung C.S.)

[38] Osho: *Kreativität – Die Befreiung der inneren Kraft.* Heyne Verlag, München 2001

und der modernen Psychotherapie in vier Phasen: Das chaotische, heftige und tiefe Atmen in den ersten 15 Minuten besorgt eine energetische Aufladung ('Rebirthing Effekt'), bei der bereits innere Bilder ('katathymes Bilderleben') und Emotionen hochkommen. Die werden in entsprechend wilden Körperbewegungen, je nach Nachbarschaft auch in ungehemmtem Schreien, Stöhnen, Weinen oder Lachen in den folgenden 15 Minuten ausgetobt.

Deuters Musik dazu ist aus verständlichen Gründen weder lieblich melodisch noch tänzerisch rhythmisch, sondern rotiert eher wie eine beunruhigende Mischmaschine aus dumpfen elektronischen Klängen.

Erst in der dritten Phase kommt ein gleichmäßiger elektronischer Trancebeat. - ein in den 70er Jahren komponierter sanfter Vorläufer des Techno. Es ist die von vielen gefürchtete 'Hu'-Phase: 15 Minuten mit nach oben gestreckten Armen auf der Stelle Hüpfen und bei jedem Sprung möglichst tief aus dem Bauch das Sufi-Mantra 'Hu' (Verkürzung von 'Allah Hu') ausstoßen.

Wer (wie ich) dieser Anweisung einmal gewissenhaft, d.h. mit Einsatz aller Kräfte gefolgt ist, weiß etwas von Hölle und Himmel. Solche auch in der Bioenergetik verwendeten Übungen zielen wie der indianische Sonnentanz auf jenen seltsamen Energieumschlag ab: Von der äußersten körperlichen Anstrengung und scheinbaren Erschöpfung in die von Energie getragene Leichtigkeit einer (scheinbaren?) Loslösung vom Körper.

Die motorisch-mantrische Einwirkung auf das sogenannte 'Wurzelchakra' im Becken mobilisiert zusätzlich starke Energien. Laut alter Yogatradition sitzt hier die Kundalini-Energie, eingerollt wie eine Schlange. Sie wird nun womöglich aufgestachelt und erhebt sich in Form (inzwischen messbarer, elektrischer) Energie über das Rückenmark und die verschiedenen Chakren. Erreicht sie das Kronenchakra, blitzt angeblich die Erleuchtung auf. Im klassischen Yoga gibt es zu

diesem Zweck andere Übungen, die sogar unauffällig in jeder beliebigen alltäglichen Situation ausgeführt werden können. [39]

Die 'Dynamische Meditation' soll eine Bewusstseinserweiterung anregen. Von innen her fühlt sich das Springen in der 'Hu' - Phase viel-
leicht plötzlich federleicht an, als geschähe es wie von selbst. Ich
scheine vom Körper getrennt. Und genau dieses Empfinden ist der
Schlüssel zu einer folgenreichen Erkenntnis: Ich bin nicht mein Körper!
Eine weitere Chance zu dieser Einsicht bietet das plötzlich gerufene
'Stopp!'. Der Körper soll in seiner momentanen Stellung erstarren. Nur
das Atmen oder die Geräusche der weiteren Umgebung sind zu hören.
Es gibt Berichte von Leuten, die ihren Körper bei diesem 'Stopp!' zu
Boden fallen und dort 'von oben aus' liegen sahen - in der Terminolo-
gie der Transpersonalen Psychologie eine 'außerkörperliche Erfah-
rung'.

Die letzte Phase der Stille entspricht der klassischen Meditation: keine
Bewegung, alles beobachten. Zum Ausklang kann zur nun wieder typisch heiteren Musik von C.H. Deuter frei und beschwingt getanzt
werden. [40]

Gabrielle Roth: Von der Trägheit zur Ekstase

---

[39] Mehr dazu in Christian Salvesen: *Der Sechste „Tibeter". Das Geheimnis
erfüllter Sexualität.* BoD (überarbeitete Neuausgabe), Norderstedt 2018

[40] *Osho Dynamic Meditation. Music by Deuter.* CD (New Earth/Silenzio
Music

„Die erste schamanische Aufgabe besteht in der Befreiung des Körpers, um die Kraft des Seins zu erfahren", schreibt die New Yorker 'Stadtschamanin' und Künstlerin Gabrielle Roth in ihrem Buch *Das befreite Herz*. „Nur wenn du wirklich in deinem Körper lebst, kannst du die heilende Reise beginnen."[41]

Jeder *glaubt*, er sei in seinem Körper, lebt aber meist in Gedanken und Vorstellungen außerhalb. Erst die unmittelbare Erfahrung in der Bewegung lässt mich *fühlen* und *wissen*, was es bedeutet, im Körper zu sein. In einem Gespräch sagte Gabrielle zu mir: „Sieh mal in den Spiegel! Und? Wenn du kein vibrierendes Selbst siehst, das vor Energie und Persönlichkeit überschäumt, dann haust du dich selbst mit dem Geschenk des Lebens übers Ohr. Ich weiß es. Ich habe es selbst erlebt." [42]

Gabrielle Roth hat sich und Tausende von Menschen in Bewegung gebracht. Im berühmten Esalen-Institute in Kalifornien begann sie bereits in den 60er Jahren - mit dem Begründer der Gestalttherapie, Fritz Perls, als Mentor - ihre eigenen Bewegungsgruppen zu leiten. Hollywood-Stars und Rechtsanwälte, Manager und Psychiater, all die „Gefangenen des Amerikanischen Traums", sollten ihre eigene Angst, ihren Stress, ihren Frust austanzen. Die Arbeit entwickelte sich immer weiter, nicht durch Konzepte, sondern durch den wiederholten Sprung ins Ungewisse, durch spontanes Improvisieren, durch die Bewegung selbst. Bald kamen einige Experten auf die Idee, diese Art zu lehren und zu heilen „schamanisch" zu nennen.

Im Laufe der Jahre kristallisieren sich für die Großstadt-Schamanin fünf Grundrhythmen heraus, die sie in ihren Workshops als die „fünf heiligen Rhythmen" des Lebens tanzen lässt: Fließend - Stakkato - Chaos - lyrisch - Ruhe. Die Musik dazu kommt meist aus eigener

---

[41] Gabrielle Roth: *Das befreite Herz*. Heyne, München 1990
[42] Gabrielle Roth in einem Interview, das ich 1993 mit ihr in Hamburg führte.

Werkstatt, entweder wird live getrommelt oder eine ihrer Kompositionen ertönt über Lautsprecher. 'Ekstase' heißt das Zauberwort. [43] Gabrielle Roth vereint in ihrem Trancetanz Spontaneität, Power, Kreativität und magische Atmosphäre. [44]

Auf dem Video *„The Wave"* werden die Rhythmen zu ausgewählten Stücken aus verschiedenen Roth-Alben vorgetanzt. Aber jeder kann, wie Gabrielle betont, seine eigene Musik zu den Rhythmen finden; manchmal ist es sogar gut, auf Musik ganz zu verzichten. Es gibt keine festgelegten Schritte. Jede Bewegung entsteht und entwickelt sich aus der Eigenart, der Persönlichkeit oder dem individuellen Wesen der Tanzenden und aus der spontanen Kraft des Körpers, der sich auf die Musik einschwingt. Gabrielle wirkt allerdings durch ihre Musik, ihre Worte, ihre Stimme, ihre gesamte Haltung und tänzerische Bewegung enorm belebend auf alle, die sich auf diese Bewegungsmeditation einlassen. Vor dem Tanz der fünf Rhythmen werden alle Körperteile gelockert: Der Kopf fällt nach vorne und zurück, beginnt zu kreisen,

---

[43] Als Technik der 'Ekstase' definierte auch Mircea Eliade den Schamanismus in seinem Standard-Werk 'Das Heilige und das Profane', Rowohlt, Hamburg 1957

[44] G. Roth's Band 'The Mirrors' verwendet außer der Schamanentrommel auch Elemente aus dem Rock (elektrische Gitarre, Saxophon, Gesang, Bass, Schlagzeug), indischem Raga und arabisch-afrikanischen Traditionen. In **Luna** bauen sich über dem gleichmäßigen Schlag einer tiefen Schamanentrommel vielstimmige melodische und rhythmische Strukturen auf. Geige, Viola und der indischen Dotar beschwören die weibliche Magie des Mondes. 'Tongues', 'Bones', 'Initiation', 'Ritual', 'Totem', 'Trance' und 'Waves' heißen die Platten, mit denen die Schamanin auf immer neue Weise ihre 'fünf Grundrhythmen des Lebens' vorstellt. (CDs siehe Diskografie im Anhang)

danach die Schultern und Hüften, Kniegelenke und Ellenbogen. Arme und Hände, Beine und Füße spreizen und schütteln sich im Takt. Nun ist der Körper gestimmt wie ein Instrument.

Fliessend: „Beim Einatmen heben sich deine Arme, beim Ausatmen sinken sie zurück. Fühle deine Füße auf dem Boden, während du dich streckst und wieder zusammenziehst. Eine fließende, kontinuierliche Bewegung, die nie aufhört. Fühle die Wellen der Musik, die den Körper mitnehmen, weich und rund. Geschmeidig wie eine Katze bewegst du dich durch den Raum. Du bist in deinem Bauch zentriert, von wo alle Bewegungen ausgehen und wohin sie wieder zurückkehren. Erfinde dein eigenes Tai Chi, versinke in den Wellen deines Seins". Tänzerinnen und Tänzer drehen sich im Raum, Schlangengestalten, die aneinander vorbei gleiten, sich anschmiegen, sich beugen und wiegen, auf und ab, vor und zurück, kreisend, an und abschwellend, wachsend. Dieser Rhythmus repräsentiert Vieles, z.B. den ersten Lebenszyklus: Das Kind entdeckt mit Staunen die Welt, getragen vom Vertrauen in die Mutter. Und im fließenden Rhythmus berühren sich Mann und Frau wie beim Vorspiel der Liebe.

Stakkato: Die Trommelschläge werden nun härter und schneller, an die Stelle der Cellomelodie tritt das gestoßene Röhren einer Didgeridoo. Aus Tai Chi wird Karate. Eckige, entschiedene, klare, abgegrenzte Bewegungen, männliche Kraft, bestimmt, aber ohne Anstrengung, nicht verkrampft, auch nicht mechanisch oder gewollt aggressiv. Der Tanz kann zwar Emotionen hochkommen lassen und zum Ausdruck bringen, aber er bleibt in erster Linie Tanz; keine Katharsis wie bei einer „Lass alles 'raus!"-Therapie. In dieser zackigen Dynamik erscheint eine eigene Schönheit. Musikinstrumente, Körperbewegungen und das stoßhafte Ausatmen vereinen sich zum perkussiven Rhythmus. „Wie bei jedem anderen Rhythmus fließen die Wellen durch deinen ganzen Körper, und du wirst dir immer mehr aller Teile deines Körpers bewusst, so wie sie vom Takt fortgerissen werden, wenn du deinen Verstand und deine Konzentration auf die Füße verlagerst." In der zweiten Lebensphase leitet der Vater das Kind an. Er lehrt das männliche Prinzip der Begegnung und Abgrenzung, der Zielgerichtetheit und Wucht. Das Liebesspiel steigert sich, wie die Geburtswehen, im pochenden, treibenden Stakkato-Rhythmus.

Chaos: Der dynamische Höhepunkt. Das Fließende und das Ruckhafte, weibliche und männliche Kraft vereinen sich in wogender Ekstase. „Links, rechts, dunkel, hell, Mutter, Vater, Erde, Himmel, flieg!" Gabrielle haucht beschwörende Formeln ins Mikrophon, skandiert die Worte im Takt der Trommelrhythmen. „Du verlierst die Kontrolle, wirst vom Rhythmus überflutet. Die Lichter blitzen auf, die Bühne dreht sich. Du wirst von einem uralten Ritus erfasst, stürzt immer tiefer in dich hinein, eine Trance im Wachzustand. Dein Körper dreht sich im Kreis, biegsam wie eine berauschte Stoffpuppe, die Wirbelsäule bewegt sich wellenförmig, der Kopf ist locker, die Hände fliegen in der Luft, die Füße sind im Takt gefangen. Lass den Körper frei - keine Blockaden, keine Hemmungen, keine Zweifel, nur reine animalische Drehungen. Lass alles los, gib alles von dir, wen geht es etwas an? Tu es einfach!"

Dem Chaos entspricht die Lebensphase der Pubertät, in der die sexuelle Kraft hemmungslos ihren natürlichen Weg sucht. Die Erfahrungen sind intensiv, erregend, verwirrend. Und in einer sexuellen Vereinigung, die sich an den Rhythmen orientiert, mündet der leidenschaftliche Fluss der Hingabe in das Meer eines totalen, den ganzen Körper erfassenden Orgasmus. „Wir werden auf ein Plateau des Lichts, der glückseligen Intimität geschleudert".

Lyrisch: Erfüllt von Energie und leicht wie eine Feder hüpft der Körper auf beflügelten Füßen durch den weiten Raum, inspiriert von der schwingenden Leichtigkeit eines Frauenchores. „Die Bewegungen sind luftig, spielerisch; deine Füße berühren kaum den Boden, alles gleitet, dreht sich, wirbelt mühelos. Du bist leichtfüßig wie ein Hirsch; alles ist einer Erkundung wert und herrlich. Es ist die Bewegung der heiteren Freude, des Zelebrierens." Dieser Geist durchglüht die Lebensphase des reifen Menschen, der seine Aufgabe in der Welt, im Beruf wahrnimmt, eine tiefe Verbindung mit seinem Partner eingeht, eine Familie gründet, Verantwortung übernimmt, ohne in Routine zu erstarren oder sich von Sorgen erdrücken zu lassen. Das Leben ist ein freudiger Tanz auf allen Ebenen.

Ruhe: Bewegte Stille. Innehalten, während die Energie das ganze Sein durchströmt. Die Bewegungen sind langsam, werden angehalten, nach innen gekehrt, sammeln sich in einer ruhigen Haltung. Weicher Wechsel zwischen Zeitlupe und Standbild, die Aufmerksamkeit richtet sich auf die Pausen, auf den Atem, auf die Pausen beim Atmen. Gabrielle vollendet ihre Rhythmen auf dem Video „Wave" im Lotussitz auf dem Boden. Äußere und innere Ruhe bedeuten natürlich nicht, dass sich die Lebenskraft erschöpft hat. Vielmehr erreicht diese Kraft im Alter ihre höchste Stufe, indem sie zu sich selbst zurückkehrt. Nicht Resignation, sondern völliges Loslassen und freudige Bereitschaft machen den letzten, endgültigen Sprung in das Unwissbare zum bewussten Höhepunkt des irdischen Lebens.

Als eine große Welle umspannen die fünf Rhythmen das ganze Leben. Wer sie für sich zur regelmäßigen Bewegungsmeditation macht, wird ihre heilende Wirkung erfahren, stärker in seinem Körper präsent sein, mehr Energie haben und wichtige Zusammenhänge entdecken. Welcher Rhythmus liegt mir am meisten? Welcher macht mir Angst? Welchen Rhythmus kann ich bei anderen Menschen beobachten? Wenn ich ein fließender Typ bin und mit einem Stakkato Partner zusammenlebe, wie das bei Gabrielle Roth und ihrem Mann Robert Anselm der Fall ist, kann ich ohne zu verurteilen auf den Rhythmus des Anderen eingehen und „die beste Musik für ein gemeinsames Leben komponieren". Entspricht die Umgebung, in der ich lebe, meinem bevorzugten Rhythmus? Treibt mich das Tempo der Großstadt in den Wahnsinn, fühle ich mich in der ländlichen Idylle gelangweilt und unterfordert? Ich lerne, die Rhythmen von Menschen und Orten, von Jahreszeiten und Tagesstimmungen zu erfassen, mich energetisch mit ihnen zu verbinden, mit ihnen zu tanzen. In Gabrielles Tanzworkshops erscheinen Raum und Zeit nicht als abstrakte, leere Dimensionen. Sie sind erfüllt von der Kraft einer unpersönlichen Liebe, die in jeder Bewegung, jeder Berührung, jedem Blick ganz fein und ungreifbar mitschwingt.

Meistertrommler und Geisterbeschwörer

In Ghana lenken die trommelnden Priester das Wohl der Gemeinschaft. Zu den prominentesten zählt wohl Mustapha Tettey Addy. Seine Trommelrhythmen lassen in jedem Fall das Tanzbein zucken, auch unabhängig von der Trance-Idee. Wie bei Cousin Aja Addy und seinem Neffen Nyanyo Addo (CDs im Anhang) kommen große Standtrommeln und die kleineren Talking Drums, Ballaphone, Gongs, Djembe, Flöten und Gesang in Rhythmen zusammen, die ebenso suggestiv wie erfrischend wirken. Der Trancetänzer hört die Geister durch die Trommel sprechen. Und das mit dem Sprechen ist buchstäblich gemeint. Die beiden gegenüberliegenden Trommelfelle der Dondo sind durch Lederriemen verbunden, die beim Trommeln mit dem Arm gedrückt werden. So lässt sich die Tonhöhe ändern und der Trommler kann den Klang bestimmter Worte erstaunlich echt nachahmen. Als Addy in seinem Seoul-Konzert mit einer Talking Drum 'Guten Tag' auf Koreanisch sagte, waren die Leute ganz aus dem Häuschen.

Die Koreaner haben ihre eigene Tradition der Kontaktaufnahme mit dem Paranormalen. Werden Trommeln zur Geisterbeschwörung eingesetzt, dürfen sie so mächtig dröhnen wie die fassförmigen Buktrommeln auf 'Record of Changes' von Samulnori. Die Gruppe wird durch wilden Schamanen-Gesang angeleitet, der die Trommeln und Gongs noch übertönt. Den Größenrekord halten (neben einigen Giganten im Amazonasgebiet) die japanischen Shime-Daikos mit einem Durchmesser von über zwei Metern. Tagayasu Den machte sie mit seinen Performances weltberühmt, zunächst mit der Gruppe Kodo, seit 1980 mit Ondekoza. Der CD-Titel 'Devils on Drum' verspricht nicht zuviel. Die als Gemeinschaft in harter Disziplin lebende Gruppe von elf Männern und vier Frauen baut in Zeitlupensteigerungen enorme Spannung auf, die sich dann unter lautem Geschrei und dem Einsatz tischbeingroßer Schlegel entlädt.

Mickey Hart: World Music Trommler als Geburtshelfer

Professionelle Trommler und Perkussionisten wollen sich nicht mit monotonen Trancebeats begnügen, auch wenn sie, wie 'Grateful Dead'- Schlagzeuger Mickey Hart, ihre Passion aus einem Hang zum Schamanischen erklären. „Ich habe viele Male eine Empfindung gehabt, als trage mich meine Trommel durch eine offene Tür in eine andere Welt. Gestatte ich mir jedoch, diese Welt zu betreten, dann bin ich nicht mehr in der Lage, den Rhythmus zu halten - und das holt mich sofort in die Realität zurück. Vielleicht hat deshalb der Schamane einen Helfer, der das Trommeln übernimmt, sobald er in Trance fällt." [45] Hart kann sich demnach sehr wohl auch mit komplizierten Rhythmen in die Trance trommeln, doch als Musiker bleibt er an der Schwelle zur nichtalltäglichen Wirklichkeit, um das Niveau seiner Performance halten zu können. In dem von ihm gegründeten 'Ryko-Label' erscheint hochqualifizierte *Weltmusik*.

In seinen eigenen Platten geht Mickey Hart das Phänomen Trance von verschiedenen Seiten an. *At The Edge* z.B. bringt Urwaldgeräusche, exotische Schlaginstrumente, ungewöhnliche Synthesizereffekte, virtuos gespielte, vielschichtige Rhythmen - ein reiches Spektrum, das auch die menschliche Stimme, Melodik, Harmonik und Stille umfasst. *Däfos* (mit der Sängerin Flora Purim und dem Perkussionisten Airto Moreira) führt in die Wüste des Sudan, eine vom westlichen Konsumdenken unverdorbene Welt. Auf *Yamantaka,* dem tibetischen Gott des Todes und der Unterwelt gewidmet, geht es mit vielen unterschiedlichen Trommeln und den tibetischen Klangschalen von Henry Wolff und Nancy Hennings in tiefere Schichten des Unterbewussten.

Eine Sonderstellung nimmt seine CD *Music To Be Born By* ein. Sie ist als praktische Geburtshilfe komponiert. Mickey Hart nahm den Herzschlag seines noch ungeborenen Kindes Taro auf und improvisierte im Studio dazu Trance-Rhythmen auf der Sambabasstrommel Surdo. Die Musik soll Müttern vor, während und nach der Geburt helfen, sich auf einen ruhigen Atemzyklus zu konzentrieren. Sie erleichtert aber auch dem Kind den Übergang vom dunklen, geschützten Raum im Mutterleib in die helle und laute äußere Welt. Wie wichtig die

---

[45] Mickey Hart: Die Magische Trommel,

op. cit. S. 233

Klangeindrücke für die Entwicklung des Embryo sind, werden wir später noch ausführlicher erfahren (siehe Exkurs: rund um die Geburt)

Mickey Hart begründete Anfang der 90er Jahre in den USA die Initiative „Rhythm for Life", die unter anderem in unzähligen Gemeindezentren regelmäßige Trommelsessions angeregt hat, an denen Jung und Alt teilnehmen kann. Kinder lernen dabei, sich besser zu konzentrieren und zu zentrieren, Teenager können zudem noch ihre Emotionen kreativ entladen, und selbst Omas und Opas entdecken die Freude am Leben wieder und kommen in einen spontanen Kontakt und Austausch mit ihren Kindern und Enkeln. [46] Ein weiterer Schwerpunkt von "Rhythm for Life" ist die Arbeit an Altersheimen. Mickey Hart bringt die Verbindung von Rhythmus und Altern auf den Punkt:

„Unsere Körper sind multidimensionale Rhythmusmaschinen, in denen alles synchron pulsiert, von der Verdauungstätigkeit unserer Eingeweide bis zur Synapsenfeuerung in unserem Gehirn. Den rhythmischen Schwerpunkt setzen das Herz-Kreislauf-System und die Lungen... Mit zunehmendem Alter können diese Rhythmen jedoch auseinanderfallen. Und dann ist plötzlich nichts mehr wichtiger und vordringlicher, als diesen verlorenen Rhythmus wiederzugewinnen." [47]

Reinhard Flatischler: Die Trommel spricht.

Der Herzschlag der Mutter baut im Embryo möglicherweise eine Art beruhigenden, Trance-induzierenden Rhythmusarchetyp auf. Der

---

[46] Quelle: Campbell, op. cit. S. 124ff

[47] zit.n. Campbell, op. cit. S. 215

österreichische Trommler Reinhard Flatischler jedenfalls glaubt, solche Archetypen gefunden zu haben. Nach seiner Pianisten Ausbildung an der Wiener Musikhochschule studierte der 'Herr der Trommeln' Tabla, afrokubanische Perkussion und Samba in den Ursprungsländern. Eine Einladung des Drama-Centers Seoul wurde unter der Anleitung des Schamanen Kim Sok Chul zur Initiation. Flatischler: „Ich fiel in einen Zustand, in dem ich nicht mehr denken konnte. Ich befand mich in einer völlig anderen Welt. Es war eine Welt voller Gefühle, die ich zuvor noch nie erlebt hatte. Ich spürte, wie sich Teile meines Körpers verschoben, auseinanderfielen und sich wieder zusammensetzten." [48]

In den späteren Auftritten bei internationalen Festivals und auf live-Platten mit dem Projekt 'Megadrums' werden Trancerhythmen zum Kommunikationsmittel: 'Weltsprache Rhythmus' und TA KE TI NA (Silben aus dem Übungsprogramm der Tablaisten) lauten die umfassenden Konzepte. Flatischler hat sie in unzähligen Workshops und zwei Übungsbüchern [49] einem breiten Publikum vermittelt.
Es geht um 'rhythmische Meditation', 'musikalische Kreativität', 'systematische Selbst- und Welterkenntnis' und die 'Heilung von Körper, Geist und Seele'. Herzschlag und Puls liefern 'Rhythmusarchetypen' als Basis der Völkerverständigung.

Mit dem Zuwachs an Musikern kommt in den Megadrum-Platten zur rhythmischen (Trance induzierenden) Dimension zunehmend das ganze melodisch-harmonische und emotionale Spektrum von Musik. Auf *'Schinore'* trommeln Pakhawaj-Meister Arjun Shejural und der brasilianische Samba- und Geisterexperte Dudu Tucci zum Gewebe von Gongs. *'Coreana'* führt schamanische Traditionen und rituelle Tänze

---

[48] zit. aus der Zeitschrift *Du* 1/97 zum Thema „Die Trommel. Weltsprache Rhythmus" von John M. Chernoff u.a., Du-Verlag 1997
[49] Reinhard Flatischler: *Ta Ke Ti Na - Der Weg zum Rhythmus*, Synthesis-Verlag 1993 und *Die vergessene Macht des Rhythmus*, Synthesis-Verlag 1994.

verschiedener Kulturen vor. Das koreanische Trommelquartett Samul-nori rechtfertigt den Titel, Wolfgang Puschnig stellt mit dem Saxophon jazzig-melodische Verbindungen her und Teddy Addy demonstriert mit seiner Talking Drum den kommunikativen Aspekt der Trance, - das Sprechen der Geister.*Drumming Together*' konzentriert sich auf die großen Buktrommeln aus Korea, das Bambusgamelan aus Bali und die sibirisch-koreanische Tschanggo mit ihren zwei schalenförmigen Resonanzkörpern - Reinhard Flatischler im tänzerischen Dialog mit seiner Partnerin Heidrun Hoffmann. Nach *'Transformation'* und *'Ketu'* (u.a. mit Tablaist Zakir Hussain und der balinesischen Gamelangruppe Suar Agung) erschien 1996 *'Layers of Time'*. Milton Cardona - großer Bata-Trommler im Jazz wie auch in der religiösen, afrokubanischen Santeriá-Bewegung, der Rahmentrommelvirtuose Glen Velez und Airto Moreira mit seinen exotischen Percussions intensivieren spürbar das Megadrum-Geschehen.

Flatischlers Credo: „Im Ta Ke Ti Na Prozess ist musikalisches Lernen immer auch ein menschlicher Lernprozess. Das, was unser Leben behindert, spiegelt sich darin als musikalisch-rhythmisches Problem wider und kann durch rhythmisch-musikalische Arbeit transformiert werden. Denken und Fühlen, intuitives Ahnen und kognitives Handeln, äußere Bewegung und innere Stille beginnen miteinander zu kooperieren, das Denken wird still und es entsteht Raum für Visionen."
[50]

---

[50] Quelle: https://www.rhythmuswege.at/weitere-informationen-ueber-taketina/

Nicht nur der monotone Grundschlag der Trommel öffnet das 'Theta-Fenster'. Auch kurze Melodien, die ständig wiederholt oder allmählich abgewandelt und mit ähnlichen Sequenzen vermischt werden, können Trance auslösen. Stellen wir uns das scheinbar gleichförmige Konzert Tausender von Insekten vor, zirpende Grillen oder singende Moskitos. Je tiefer wir in den vibrierenden Sound eintauchen, desto mehr fallen uns die einzelnen Stimmen auf. Wir verlieren uns in einem polyphonen (=vielstimmigen) Netz, das Zeitempfinden verschwimmt in einem Meer von subtilen Eindrücken, die nur an der Oberfläche monoton wirken. Vor allem in tropischen Gegenden greifen Musiker solche Klanggespinste der Natur seit Jahrtausenden in vielstimmigen Improvisationen auf.

So ist die traditionelle Trancemusik in Afrika keinesfalls nur von hämmernden Trommelrhythmen bestimmt, sondern oft von zarten Saiten- und Perkussionsinstrumenten, die ein feines Stimmengewebe ohne festen Beat spinnen. Vor einem solchen Hintergrund singen die westafrikanischen Griots und Jalis ihre Lieder, in denen die alten Legenden erzählt werden. Ein für alle erbaulicher Geschichtsunterricht mit Trance-Effekt, der die Stories 'nichtalltägliche Wirklichkeit' werden lässt.

Das Grundprinzip der Improvisation ist einfach: Wo ein Musiker eine Pause lässt, füllt ein anderer das Loch. Da sich jeder auf wenige Töne beschränkt und keiner als Solist hervortritt, entsteht ein organisches, spiralförmiges Pattern. Bei den lang gehaltenen Tönen Oboen artiger Instrumente klingt das nach Moskitowolken (Clustern), ein Effekt, den der Sufi-Musiker Bachir Attar auf '*The Next Dream*' (CMP) in Verbindung mit Rahmentrommel, Congas, Gongs, Saxophon und arabischer Flöte surreal verdichtet. Und der in Orchesterwerken wie

'Ramifications' ('Verästelungen') von **György Ligeti** als 'Mikropoly-phonie' auskomponiert wurde. Der bekannte ungarische Avantgarde-komponist führte seinen Gewebe-Stil ursprünglich auf einen Traum zurück, wo er sich in einem Raum voller seltsamer Spinnenweben be-fand. Später bezog er sich auch auf perkussive, polyphone Techniken außereuropäischer Kulturen.

Sein Sohn **Lukas Ligeti**, Komponist und Drummer, hat mit seiner Gruppe *Beta Foly* eine zeitgenössische Fortsetzung geschaffen. Die Gruppe und Projektpartner Kurt Dahlke, der stilbildende Musiker der Neuen Deutschen Welle, nahmen neben Ligetis Schlagzeug die neu-este MIDI-Ausrüstung und andere Computerinstrumente nach Afrika mit, um zu sehen, was zustande kommt, wenn traditionelle afrikani-sche Musiker beim Erarbeiten der gemeinsamen multikulturellen Mu-sik mit diesen Instrumenten und Möglichkeiten konfrontiert werden. Die Afrikaner waren ebenso begeistert, das Neuland zu erkunden, wie Ligeti und Dahlke es waren, mit den Künstlern einer ihnen bislang weitgehend unbekannten Tradition zu arbeiten.

Mit Hilfe von Computer und Sampler wurden Klänge bearbeitet und Formen geschaffen in einer Art, die im Bereich der World Music höchst unüblich ist; die Computer wurden u.a. dazu verwendet, poly-metrische Arrangements zu erstellen und zu spielen. Die Musik, die entstand, war aber viel weniger das Produkt irgendeiner Technologie als das Resultat der gegenseitigen Inspiration aller teilnehmenden Künstler. Lukas Ligetis bahnbrechende Art, polymetrisch Schlagzeug zu spielen (zu hören in "L´Escalier du temps", "Langage en dessin" und "Village dans 8 pays"), diente als Triebfeder für die Kreativität seiner westafrikanischen Partner. Er wuchs in ihren Stil hinein, brachte aber gleichzeitig seine kompositorische Arbeitsweise ein, die ihrerseits auf eine Offenheit für selbst die ungewöhnlichsten Inspirationsquellen beruht. [51]

In den Musikkulturen Südostasiens entstehen polyphone und polyrhythmische Strukturen bei den Trance auslösenden Improvisationen der Gamelanorchester. Allein auf der kleinen Insel Bali gibt es unzählige solcher Ensembles, die zu Puppenspielen, zeremoniellen Tänzen oder Trance-Ritualen auftreten. Im Unterschied zum Ensemble **Gunung Jati** *'Music of South-East & East Asia'* (JVC) mit seinen verstimmt klingenden Bronzegongs und Metallophonen erscheint die Aufführung des Jegog-Ensembles **Swar Cipta Priyanti** (*'The Music of Bali. Vol 1, Jegog.'* Celestial Harmonies) sehr konzentriert und zielgerichtet. Die Xylophonspieler lassen ihre Schlegel in an- und abschwellenden, rasenden Bewegungen auf Bambushölzern tanzen, die im Bassbereich über zwei Meter lang sein können. In den Tempelanlagen von Angkor Wat (Kambodscha) nahm **David Parsons** rituelle (Begräbnis-) Musik auf (*'Music of Cambodia - 9 Gong Gamelan'*). Die einheimischen Bauern blasen (in Zirkuläratmung) auf Oboen ('Moskito-Effekt') zu polyrhythmischen Gamelangongs.

In afrikanischen Kulturen finden wir ähnliche Strukturen. Zwölf Xylophonspieler, Tänzer und Sänger mit Rasseln sowie Krieger, die ihre Holzschilder rhythmisch auf den Boden schlagen, führen in *'Xylophone Music from the Chopi People'* unter Leitung von **Venancio Mbande** ein 'Mgodo' auf - das rituelle Musiktheater der Chopi aus Mozambique. Feiner klingt das polyphon-polyrhythmische Gewebe, in das hinein die Griots ihre Lieder von alten Zeiten spinnen. Es entsteht

---

[51] Quelle: http://www.atatak.com/assets/s2dmain.html?http://www.atatak.com/tontraeger/sonstige/betafoly/dbetafo.html

aus dem Zusammenspiel von Ballaphonen, Marimbas, Daumenklavier, Harfe (Kora) und zunehmend auch (elektrischen) Gitarren.

Foday Musa Suso, einer der führenden Griots, arbeitet in seinem Album *'Jali Kunda'* (1997) mit dem Minimalisten **Phil Glass** zusammen. Minimal-Musik, die minimale Veränderung und Überlagerung einfacher Melodien, wie Glass, Terry Riley und Steve Reich sie seit Ende der 60er Jahre für Piano oder Streicher auskomponierten, klingt nach mechanisierten Griots und 'Trance Afrika' (Name eines südafrikanischen Projekts). Der Minimalismus wurde dann auch noch auf die Theater-Bühne übertragen. Werke wie **Wilsons** *'Einstein on the Beach'* mit Überlängen von 24 Stunden sollen ganz im Sinne der ursprünglichen Trance das Zeitempfinden dehnen und das Unterbewusste für archaische oder archetypische Inhalte öffnen. Sie können aber auch als Widerspiegelung der Alltäglichen Roboterhaftigkeit verstanden werden (zumal diese Strukturen genauestens einstudiert sind).

Vielstimmige Gewebe finden wir auch in der europäischen Kunstmusik: In der frühen Mehrstimmigkeit eines Perotin (um 1100), in den Cantus-Firmus-Sätzen und Motetten der Renaissance von Dufay bis Palestrina oder in den Fugen von Bach bis Schostakovitch. Fugen und Kanons sieht Hans Cousto als Vorläufer und Vorbilder des 'Techno-Satzes' mit seinen stets wiederkehrenden Computersequenzen. [52] Die Konstruktion mag äußerlich ähnlich sein. Ausgangspunkt und Funktion abendländischer Polyphonie sind jedoch ganz anders als beim Techno, was sich offenbart, wenn man sich in die innere Dynamik

---

[52] Hans Cousto: *Vom Urkult zur Kultur*, Nachtschatten Verlag 1995, S. 53-56

68

einhört. Im Unterschied zum minimalistischen Trance-Gewebe sind die melodischen Bewegungen 'zielgerichtet', sie streben, sind voller Spannung und Ausdruckskraft. Wollten wir in der klassischen westlichen Musik nach Trance-Elementen suchen, finden wir sie eher in Märschen, Toccaten (von Bach bis Prokofjieff) oder einem Werk wie dem (angeblich vom Sufismus inspirierten) 'Bolero' von Ravel.

Sicher - Wiederholung und Variation sind Grundprinzip fast jeder Komposition. In unserer Klassik soll dabei jedoch Monotonie gerade vermieden werden. Bei einer 'übertriebenen' Wiederholung wie im Minimalismus oder Techno wird die Struktur 'redundant', d.h. einschläfernd. Dem Wachbewusstsein wird nichts mehr geboten. Stattdessen rückt ein psychedelischer Effekt in den Vordergrund: „Die ewige Wiederkehr des Gleichen". Halluzinogene Drogen können einen Bewusstseinszustand bewirken, der in Psychiatrien als 'Psychose' diagnostiziert und behandelt wird.

Gabrielle Roth leerte, wie sie mir im Interview erzählte, ein Glas Orangensaft mit einem Zug, ohne zu wissen, dass darin eine hohe Dosis Amarita Mescaria aufgelöst war, einer der stärksten halluzinogenen Pilze, die es gibt. „24 Stunden war ich nur Atome und Zellen, kein Körper, kein Verstand, reine Energie. Irgendwann kam eine dumpfe Ahnung hoch, dass ich meinen kleinen Jungen dabeihatte, und das löste diesen Film aus, der sich dauernd wiederholt. Ich sah, dass jemand bei ihm war und konnte die Worte artikulieren: 'was ist mit meinem Jungen?' Die Antwort: 'mach dir keine Sorgen, er ist o.k.' konnte ich nicht verstehen. Ich raffte mich vom Sofa auf und ging in Richtung Kinderwagen, und die ganze Szene wiederholte sich: 'Was ist mit meinem Jungen?' 'Mach dir keine Sorgen, er ist o.k.'" (Gabrielle tanzt die Situation vor). „99 Mal ist das genau gleich abgelaufen, ich habe mitgezählt. Dann hatte es innen geklickt, und ich konnte mich entspannen. Seitdem weiß ich, was bei Schizophrenen im Inneren abläuft."

Ich habe in einem Selbstexperiment mit ein paar Zügen Haschisch und dem Streichquartett von Ravel ein ähnlich intensives 'Endlos'-Erlebnis gehabt. Die Bandschleife umfasste meine gesamte Wahrnehmung. Die Tür ging auf, jemand trat ins Zimmer, Renate - dann kamen endlose Sequenzen aus meinem Unterbewussten, verbildlichte Ravelmelodien, dann sah ich wieder, wie sich die Tür öffnete und Renate hereinkam usw. Noch Jahre später gab es Momente, wo ich mit unangenehmer Intensität auf diese Szene wartete. Dann wäre ich wieder in der 'Endlos-Schleife'. Dieser Zustand hat etwas Bodenloses. Die Identifikation mit dem Körper greift nicht mehr. Gedanken wie: 'Ich bin gestorben' mögen aufkommen. Das Gefühl kann sehr wohl durch Sequenzen mit zyklischer Struktur erweckt werden.

Bei mir war es eine Film-Szene, wo Geheimagent Nr. 6 die vermeintliche Nr. 1 demaskieren will und eine schnelle Folge von Gesichtern eine Art Identitätsauflösung bewirkt. (Das intensive Anstarren des eigenen Spiegelbildes kann ebenfalls solche 'Past-Life' Effekte auslösen). Oder die berühmte Sequenz aus dem Film 'Odyssee 2001', wo der endgültige Trip mit einer Serie von psychedelischen Mustern und Spiralen losgeht. Stanislav Kubrick und sein Kameramann haben sich hier womöglich an Erfahrungsberichten über oder eigenen Erfahrungen mit psychoaktiven Substanzen orientiert.

Das in unserer westlichen Kultur wohl berühmteste literarische Beispiel für die zeitlich-zeitlose Endlos-Bandschleife entstammt „Also sprach Zarathustra" von Friedrich Nietzsche. Nietzsche erlebte eine Art extremes Dejavu. „Alles wiederholt sich auf ewig!" Diese „Einsicht", dieses Gefühl erschütterte ihn zutiefst. Es sollte Zarathustras „abgründigster Gedanke" sein:

„Ich komme wieder, mit dieser Sonne, mit dieser Erde, mit diesem Adler, mit dieser Schlange – nicht zu einem neuen Leben oder besseren Leben oder ähnlichen Leben: - ich komme ewig wieder zu diesem gleichen und selbigen Leben, im Größten und auch im Kleinsten, dass ich wieder aller Dinge ewige Wiederkunft lehre,-(…) dass ich wieder den Menschen den Übermenschen künde …Ich sprach mein Wort, ich zerbreche an meinem Wort: so will es mein ewiges Loos -, als Verkünder gehe ich zu Grunde!" [53]

---

[53] Friedrich Nietzsche: *Also sprach Zarathustra. Ein Buch für Alle und Keinen.* Reclam. Universal Bibliothek Nr. 7111, Stuttgart 1994, S. 231

TEIL 3: HEILENDE NATUR – LAUSCHEN UND SICH VERBINDEN

Sich auf die Natur einstimmen

Im dritten Teil dieses ersten Bandes zum Thema „Leben wie Musik – Musik leben" geht es um unsere Beziehung zur Natur. Auf vielen Ebenen wird immer deutlicher, dass wir Menschen hier einen anderen, neuen Weg finden müssen. Bisher herrscht die Einstellung, dass wir die Herren der Schöpfung sind und die Natur nach Belieben ausbeuten können.

Erst kürzlich wurde der Begriff des Anthropozäns geprägt. Demnach hat der Homo sapiens die Erde in den vergangenen 200 Jahren stärker verändert als sämtliche anderen Naturgewalten in Jahrmillionen. Keine andere Art hat so viel Zerstörung angerichtet. Wir wissen es, wir können es täglich wahrnehmen. Die Insekten verschwinden, die Vögel sind kaum noch zu sehen und zu hören. Auch die jüngste Corona-Krise hängt nach Ansicht etlicher Forscher mit der Zerstörung der Natur durch den Menschen zusammen. Die Übertragung solcher Viren wie Covid-19 von Tieren wie Fledermäusen auf den Menschen ist eher unnatürlich. Die Tiere haben zu wenig Lebensraum, weil zusammenhängende Wälder im Wahnsinnstempo Plantagen und Monokulturen von Soja etc. weichen müssen.

Doch hier soll es nicht um die berechtigte Kritik, sondern um positive Anregungen zu einem besseren Verhältnis von Mensch und Natur gehen - und zwar durch und mit Musik.

Dies kann auf vielerlei Weise geschehen. Wir lauschen Naturgeräuschen, belauschen die Natur. Entweder ganz direkt in einem Wald, im Vorgarten oder am Meer. Oder zu Hause über Aufnahmen mit Naturgeräuschen, lauschen den Gesängen von Walen, Vogelstimmen, mit oder ohne zusätzliche Musik von Menschen. Wir können aber auch selbst in der Natur singen oder ein Instrument spielen, vielleicht sogar mit den Tieren und Pflanzen kommunizieren. Was wir im 2. Teil über Trance und Schamanische Musik erfahren haben, kann hier fortgeführt und vertieft werden. Zum Beispiel gibt es wunderbare Aufnahmen von australischen Aborigines, die ihre Traumzeit vermitteln. Oder die Musik der nordamerikanischen Ureinwohner, die sanften Klänge der Zedernholzflöte und die mitreißenden Pow-Wow-Gesänge zur Trommel. Wir können uns auf diese Weise innerlich einstimmen auf eine ursprüngliche Beziehung des Menschen zur Natur.

In seinem *Arbeitsbuch moderne Naturspiritualität* gibt Hermann Ritter eine fundierte und praktische Einführung in das Thema. Er schreibt:

„Eigentlich siezen wir die Natur im täglichen Umgang; wir gehen mit ihr sehr distanziert um, haben keine echte Beziehung mehr zu ihr. Das Ziel der Naturspiritualität ist es, die Natur zu duzen. Es soll erreicht werden, dass die Distanz zwischen uns und der Natur schwindet, wir wieder eins werden mit den Kräften der Natur, der Gottheit, der Welt.

Regen und Sturm und Donner sollen nicht länger störende Einflüsse sein, denen wir mit Regenmantel und Schirm begegnen, sondern kraftvolle Elemente, die zu uns und mit uns sprechen. Der Wind erzählt uns dann Geschichten von den weit entfernten Enden der Welt. Die Sonne bringt uns Kraft und Licht. Die Wälder raunen uralte Geschichten, die Haine werden wieder heilig und die Felder sind dann für uns voller Fruchtbarkeit und Kraft.

Wir haben viel verlernt in den letzten Jahrhunderten. Die Naturspiritualität ist ein Weg, um einen Teil dieses Wissens wieder zu erlernen und für uns selbst zu gewinnen. Und wenn man dieses Wissen für sich selbst gewonnen hat, dann kann man aus dieser Kraft schöpfen und die eigene Umwelt (Familie, Kollegen, Freunde) erfreuen und glücklich machen."[54]

Vernetzung im Wald

Wenn ich einen Wald betrete, lasse ich meist eine eher laute und betriebsame Welt hinter mir. Es wird stiller, im Sommer auch kühler und feuchter. Die Luft tut gut, erfrischt. Ich atme tief durch und entspanne. Der Wald duftet angenehm. Wie gesund und Stress lösend ein Spaziergang im Wald ist, kennt wohl jeder aus eigener Erfahrung. Neuerdings ist vom „Waldbaden" die Rede.

Doch neben und zusammen mit dem erholsamen Aspekt bietet der Wald noch einen anderen, sehr staunenswerten und ebenfalls erst kürzlich in den Fokus der Wissenschaften gerückten Bereich. Das ist die Vernetzung aller Lebewesen im Wald, von den kleinsten Mikroben bis hin zu den großen Eichen, von den Pilzen bis zu den Wildschweinen und Menschen, die sich dort aufhalten.

Vernetzt – das kann vieles bedeuten. Es hat in jedem Fall mit dem Austausch von Botschaften zu tun. Im Wald kann ich bemerken, wie Eichelhäher, Krähen oder Eichhörnchen mein Eindringen melden. Und etliche Warnsignale bekomme ich gar nicht mit. In der Natur ist alles mit allem verbunden, und jedes Wesen beobachtet jedes andere. Und vor allem: Es wird ständig kommuniziert – auf ganz unterschiedliche Weise. Vogelstimmen sind nur eine. Die viel häufigere Art des Austausches besteht aus chemischen Botenstoffen.

Tag und Nacht werden in einem Wald zwischen den Bäumen wie zwischen Pflanzen, Pilzen und Tieren unsichtbare Botschaften

---

[54] Hermann Ritter: Arbeitsbuch moderne Naturspiritualität. Das Wissen der weisen Frauen und Männer. Synergia.

ausgetauscht. Wissenschaftler sprechen vom „wood wide web", dem „Internet des Waldes". Das Holz jedes einzelnen Baumes verströmt seinen ganz eigenen Duft, der zum Teil der Abwehr von Insekten dient. Wir Menschen empfinden ihn allerdings als wohltuend. Er unterstützt nachweislich unsere Gesundheit.

Im Grunewald in Berlin, dem größten Stadtwald Europas, steht eine 500 Jahre alte Eiche. Ihre 600.000 Blätter produzieren täglich 12 kg Zucker. Der Sauerstoff, den zehn Berliner täglich verbrauchen, entströmt den winzigen Blattspalten – es sind etwa 20.000 pro cm. Zusätzlich absorbiert die Eiche den CO_2 Ausstoß von drei Familienwohnhäusern, ebenfalls pro Tag.

Die meisten Menschen sind Bäumen instinktiv wohlgesonnen, dankbar und sind traurig, wenn es zur Abholzung kommt. Aktuell läuft im oberbayrischen Landkreis Miesbach, wo ich wohne eine Protestaktion, weil alle Bäume der drei Stadtparks von Miesbach gefällt werden sollen, und zwar wegen des asiatischen Laubholzbockkäfers, der bereits etliche Bäume befallen haben soll.

Käfer leben vor allem in Bäumen. Einige wie der Buchdrucker und der Kupferstecher aus der Familie der Borkenkäfer legen ihre Eier hinter der Rinde ab. Die geschlüpften Larven fressen verzweigte Gänge, deren Muster zwar hübsch aussehen, die jedoch die lebenswichtigen Leitungen des Baumes zerstören. Die befallenen Bäume sterben. Dabei handelt es sich in der Regel um Fichten in Monokulturen. Anfangs schützt noch das als Gegenmittel produzierte Harz, bei massenhaftem Befall – speziell in heißen, trockenen Sommern, nützt das nichts mehr.

Ein anderer Schädling, der Eichenprozessionsspinner, knabbert die Blätter ab. Die Bäume scheinen sich gegenseitig vor diesem Eindringling durch Duftbotschaften zu warnen. Denn als Forscher bei einem Baum etliche Blätter entfernten, sendete nicht nur dieser Baum die Duftstoffe. Alle Bäume ringsum taten dasselbe.

Zu den neueren erstaunlichen Entdeckungen gehört, dass auch Pflanzen wahrnehmen. Doch wie? Was entspricht bei ihnen unseren Sinnesorganen, unserem Nervensystem oder Gehirn? Können Pflanzen spüren, hören, riechen? Bereits in den 1970er Jahren experimentierte der ehemalige CIA-Agent Cleve Backster, indem er Pflanzen an einen Lügendetektor anschloss. Die bei den Reaktionstests entstandenen Kurven interpretierte er als ein Muster von Freude, wenn er den Pflanzen Wasser gab und Panik, wenn er sich den Blättern mit einer Flamme näherte. Das erregte Aufsehen, in der herkömmlichen Wissenschaft allerdings keine positive Resonanz. Auch die vielfach beschriebene Wirkung von Musik auf Pflanzen – Tomaten wachsen besser mit klassischer Musik als mit Hardrock usw. - ist wissenschaftlich bisher nicht belegt.

Was dagegen experimentell nachgewiesen werden konnte ist die Beeinflussung des Pflanzenwachstums durch Geräusche, die für das Überleben der Pflanze wichtig sind, so etwa das Plätschern von Wasser oder auch der morgendliche Vogelgesang. Das macht Sinn, denn alle Lebewesen inklusive Menschen, nehmen nur die für die jeweilige Spezies wichtigen Botschaften wahr. Andererseits schwören viele Pflanzenzüchter und Baumfreunde darauf, dass ihre Blumen oder das angepflanzte Gemüse auf regelmäßigen guten Zuspruch positiv reagiert. Dass es bei der Umarmung eines Baumes ein Erlebnis der inneren gegenseitigen Verbindung gibt – auch wenn Biologen bestreiten würden, dass der Baum die Umarmung irgendwie „spüren" könnte.

Letztlich geht es darum, dass wir heute wieder unsere tiefe Verbindung zur Natur wiederentdecken und aktivieren. Die Biophilia, die Liebe zum Leben, ist dem Menschen angeboren, glaubt der Pflanzenmediziner Stephen Harrod Buhner. Und der Förster Peter Wohlleben, ebenfalls mit seinem Thema Wald zum Bestsellerautor geworden, hält uns heutige Menschen für ebenso geeignet wie unsere Ahnen vor

100.000 Jahren, die Natur mit allen Sinnen aufzunehmen und mit ihr eins zu werden.[55]

---

[55] Dieses Kapitel ist teilweise als mein Artikel „Vernetzung in der Natur" in der Zeitschrift *Visionen* (März 2020) erschienen. Buchtipps dazu: Stephen Harrod Buhner: Die heilende Seele der Pflanzen. Was wir von Pflanzen lernen können, wenn wir ihnen zuhören, und warum Biophilia auf Erden so wichtig ist. Herba Press, 2017

Peter Wohlleben: Das geheime Band zwischen Mensch und Natur: Erstaunliche Erkenntnisse über die 7 Sinne des Menschen, den Herzschlag der Bäume und die Frage, ob Pflanzen ein Bewusstsein haben. Ludwig Buchverlag, 2019

Die Rhythmen der Natur – Chronobiologie

Was ist Zeit?

Woher wissen wir eigentlich, dass Zeit vergeht? Ohne auf die Uhr zu sehen, versteht sich! Kennen Sie dieses Lied?

Hearst as net wia die Zeit vergeht

(Uii di jöhü hodl lä di o u wo hu wo u weui jö)

Gestern no Ham d'Leid ganz anders g'red

(Jodeln wie oben)

Die Jungen san oid woarn un die Oidn san gsturbn

Un Gestern is haid woarn un haid is boid morgn [56]

Der österreichische Liedermacher Hubert von Goisern macht uns hier auf verschiedene Ebenen oder Aspekte der Zeit aufmerksam. Die eine ist die der Erinnerung: wie es früher war und wie sich alles im Laufe der Zeit verändert. Neue Generationen, junge Menschen, die anders reden. Für einen Alten schwingt da Melancholie mit. Und dazwischen kommt das Jodeln mit seinen bedeutungslosen Silben. Sie weisen weder auf Vergangenes noch Zukünftiges. Sie stehen für etwas Zeitloses: Wir sind jetzt, im Jodeln, im Rhythmus, in der Melodie.

Hörst du nicht, wie die Zeit vergeht? Die Zeit vergeht in Bruchteilen von Sekunden bei einem Verkehrsunfall – wie in Zeitlupe. Dann

---

[56] Hubert von Goisern: *Wie die Zeit vergeht* Ariola, sony BMG

wieder auch gemütlich und lustig in Minuten beim Jodeln und Tanzen, oder quälend langsam beim Warten auf die Diagnose des Arztes in der Praxis. Die Zeit vergeht in Tagen, Generationen und Jahrmillionen. Überall erkennen wir ihre Spuren.

Nur im Tiefschlaf und im Tod scheinen wir davon nichts mitzubekommen. Allerdings sagen wir morgens ganz selbstverständlich: „Ah, ich habe wunderbar tief geschlafen!". Wir wissen etwas vom Tiefschlaf. Und wer kennt das nicht: Man sagt sich abends vor dem Einschlafen: „Morgen um sieben Uhr muss ich aufwachen!" Und tatsächlich, Punkt sieben Uhr wacht man auf, als hätte ein innerer Wecker geklingelt. Wer oder was hat da die Stunden und Minuten gezählt?

Innere Uhren

Stellen wir uns vor, wir müssten Wochen-, ja monatelang in einem Bunker tief unter der Erde leben, völlig abgeschirmt von der Außenwelt und natürlich auch vom Sonnenlicht! Würden wir weiterhin den Unterschied von Tag und Nacht spüren und „zur gewohnten Zeit" zu Bett gehen und aufwachen? Genau dieser Frage ging bereits Anfang der 60er Jahre der Physiologe Prof. Jürgen Aschoff nach. Er setzte sich selbst und viele freiwillige Versuchspersonen einem Leben in Isolation aus, durchaus komfortabel, doch eben ohne jeglichen Reiz, der die Zeit „verraten" könnte. Kein Fernseher, kein Radio, keine Zeitung, keine Uhr, nicht einmal Licht- oder Temperaturschwankungen.

In Aschoffs später als „Andechser Bunkerexperimenten" berühmt gewordenen Versuchen stellte sich heraus, dass sich die meisten Probanden auf einen etwa 25-Stunden-Rhythmus einpegelten. Sie schliefen „morgens" jeweils eine Stunde länger, sodass nach 12 Tagen die Nacht gleichsam zum Tage geworden war. Nach 24 Tagen schienen den

Bunkerinsassen erst 23 Tage vergangen zu sein. Doch der ungefähre Tagesrhythmus wurde eingehalten, ohne äußere Zeitsignale. [57]

Inzwischen ist wissenschaftlich bestätigt: Alle Lebewesen, von Einzellern bis zum Menschen, orientieren sich an inneren, „biologischen" Uhren. Irgendetwas sagt ihnen zum Beispiel, wann sie aufwachen oder einschlafen sollen, auch dann, wenn in einem Labor wochenlang künstliche Dunkelheit herrscht oder ständig Licht brennt. Am Wechsel von hell und dunkel, Tag und Nacht scheint sich der Zyklus von Wachen und Schlafen also nicht zu orientieren, jedenfalls nicht nur. Im Organismus selbst muss eine Art Zeitgeber existieren.

Tatsächlich wurden bereits einige Gene entdeckt, die dafür sorgen, dass bestimmte Prozesse im Körper zeitlich genau und richtig ablaufen. Das erste Zeit- oder Uhren-Gen wurde 1984 bei Mutanten der Fruchtfliege isoliert und bekam den Namen „period". Das war zugleich der Beginn der Chronogenetik. Weitere Gene wurden gefunden: Das Wachstumssteuernde Gen „Frequency" des Schlauchpilzes und das „Clock" genannte Gen, das sich in gleicher Funktion bei der Fruchtfliege und bei Mäusen fand. Wird es entfernt, ist die zeitliche Orientierung im Tagesablauf gestört. [58]

Das Prinzip der inneren biologischen Uhr ist so alt wie die Evolution. Selbst die einzelligen Cyano-Bakterien verfügen über eine Uhr, die unbeirrt von Licht- und Temperaturschwankungen läuft – und das seit über 3 Milliarden Jahren. Warum? Wozu? Sie dient der besseren

---

[57] Aschoffs Experiment ist *der* Klassiker der Chronobiologie und wird entsprechend oft beschrieben. U.a. in Peter Spork: *Das Uhrwerk der Natur. Chronobiologie – Leben mit der Zeit.* Rowohlt, Reinbek 2004 S. 11 ff und Cramer, Symphonie, op. cit. S. 107f.

[58] Spork, op. cit., S. 98 f.

Anpassung an die Wechsel in der Natur. Wodurch? Durch Vorbereitung. Wenn die Sonne aufgeht und der Tag mit seinen Anforderungen beginnt, hat sich der Körper bereits auf Aktivität eingestellt.

Zwischen dem genetischen Zeit-Programm und den Zyklen der Natur besteht eine Resonanz. Ein bekanntes Beispiel dafür ist der Jetlag. Nach einem Flug von New York nach München muss sich der Reisende auf einen um sechs Stunden verschobenen Tagesrhythmus umstellen. Je nach Anfälligkeit ist das mit unangenehmen Begleiterscheinungen wie Schlaf- und Verdauungsstörungen, Kopfschmerzen, Müdigkeit oder Gereiztheit verbunden. Doch nach ein bis drei Tagen ist in der Regel alles wieder in Ordnung, das heißt, die auf 24-25 Stunden (zirkadian) geeichte biologische Uhr ist wieder in Resonanz mit der Zeitumstellung, ist „entrained".

"Nur in seltenen Fällen sind tageszeitlich strukturierte Prozesse direkte Reaktionen auf Licht und Dunkel", sagt Prof. Till Roenneberg, Inhaber des Lehrstuhls für Chronobiologie an der Ludwig-Maximilians-Universität in München. „Vielmehr wird die innere Uhr programmiert, die selbst durch den komplizierten Mechanismus des so genannten Entrainments mit der Umwelt synchronisiert wurde. Die Länge eines Zyklus ist unterschiedlich, je nach Bedingung und Organismus. Meist stellt sich aber ein quasi 24- stündiger Rhythmus ein, weshalb die innere Uhr auch circadian, also ,ungefähr dem Tag entsprechend', genannt wird." [59]

---

[59] Pressemitteilung Ludwig-Maximilians-Universität München/19.05.2005, Literatur: "De-masking biological oscillators: properties and principles of entrainment exemplified by the Neurospora circadian clock," by Till Roenneberg, Zdravko Dragovic, and Martha Merrow, PNAS, online edition. Aktuelle Webseiten (8/2020):
http://www.imp.med.uni-muenchen.de/members/professoren/roenneberg/index.html
Website: http://www.euclock.org/

Der gesamte Organismus stellt sich stets zyklisch ein und um, auf die Erd- und Mondbewegungen, aber auch auf andere Wechsel in der Natur. Wir Menschen messen an den Tages-, Monats- und Jahreszyklen Zeit und Altern. Es ist ein Privileg und Fluch zugleich. Wir können planen, hoffen und fürchten.

Haben Würmer eine Vorstellung von Zeit? Sorgen sie sich um das Morgen? So abwegig ist die Frage nicht. Alle Lebewesen sind fähig, bestimmte zukunftsorientierte Körperprozesse einzuleiten. Pflanzen streben zum Licht oder zum Wasser. Oder denken wir nur an die lange Reise der Lachse zurück an ihren Geburtsort, wo sie ihre Eier ablegen und sterben werden. Große Schwärme von Vögeln sammeln sich, um gemeinsam Tausende von Kilometern zu reisen. Haben sie eine Idee, ein Bild? Wohl kaum. Etwas treibt sie voran – nicht so völlig anders als wie es uns Menschen ergeht.

„Viele menschliche und tierische Körperfunktionen gehorchen circadianen 24-Stunden-Rhythmen" erklärt Prof. Cramer. Morgens ist der Blutdruck etwas höher, beim Mann steigt der Testosteronspiegel, die Darmtätigkeit sorgt für den morgendlichen Stuhlgang. Den Zahnarzt sollte man nachmittags besuchen, denn zwischen 12 und 18 Uhr ist unser Schmerzempfinden um bis zu 50 Prozent geringer als etwa nachts. Betäubungsmittel sind morgens am wirksamsten, Blutdruck senkende Mittel tagsüber. Asthmaanfälle treten überwiegend nachts auf. Geburten und Sterbefälle sind nachts um 30% häufiger als zu anderen Zeiten. Unfälle aufgrund von Unachtsamkeit (Verkehrsunfälle ebenso wie die

---

Website: http://www.clock-work.org/
Website: http://www.theWeP.org/

Katastrophe von Tschernobyl) passieren vor allem zwischen 24 und 5 Uhr. [60]

Viele dieser Zyklen sind seit Jahrtausenden bekannt. Doch die Chronobiologen, Chronomediziner und Chronopharmakologen entdecken stets neue Zusammenhänge. Die zentralen Schrittmacher liegen beim Menschen im Nucleus suprachiasmaticus (SCN), einem Hirnbereich direkt über der Kreuzung der Sehnerven (Chiasma optica). Zeitmesser sind allerdings in jeder Zelle, in jedem Organ zu finden. Alles in uns hat eine innere Uhr.

Man kann die Rhythmen im Menschen nach vielen Gesichtspunkten studieren und einordnen: Hochleistungssportler wollen wissen, wann die besten Tageszeiten für das Intensivtraining sind, wie lange man was machen sollte, wann und wie lange Entspannung und Essen angesagt sind. Manager haben in ihrer psychologisch durchdachten Zeitplanung längst eine Übersicht über die auf- und absteigenden Leistungskurven. Wann lässt die Konzentration nach, wann sollte eine kreative Pause eingelegt werden? Dass sich Aktivität und Entspannung jeweils in einem bestimmten Zyklus – dem Basic Rest/Activity Cycle (BRAC) ablösen, ist bereits vielen bekannt. Innerhalb von ca. 90 Minuten gibt es eine 70-minütige Phase, wo die Konzentrationsfähigkeit gut ist, danach kommt eine rezeptive Phase der Regeneration.

„Nur wenn wir im Tages-, Wochen- und Jahresverlauf jene Erholungspausen einhalten, die uns biologisch vorgeschrieben sind, kann der Organismus seine Funktionen wie beim resetting eines Computers immer wieder synchronisieren und Abweichungen vom Sollzustand

---

[60] Cramer, Friedrich: *Symphonie des Lebendigen. Versuch einer allgemeinen Resonanztheorie.* Insel TB, Frankfurt a. M. und Leipzig, 1998, S. 106 f

ausgleichen", erklärt Wolfgang Kallus, Leiter des Arbeitsbereichs Arbeits-, Organisations- und Umweltpsychologie am Grazer Universitätsinstitut für Psychologie. „Ignorieren wir diese Bedürfnisse, werden die Abweichungen immer größer, und damit verliert auch der Organismus immer mehr die Fähigkeit, von selbst in seine Ordnung zurückzufinden." [61]

Wenn der Stress überhandnimmt und nicht mehr abgebaut wird, zeigt sich das deutlich daran, wie gut bzw. schlecht wir nachts schlafen. „Beim gesunden Menschen", sagt der Chronomediziner Prof. Max Moser, „gibt es eine klare Abfolge zwischen längeren tief entspannten Ruhigschlafphasen, in denen der Atemrhythmus den Herzschlag ruhig und vorhersagbar moduliert, und den Traum- oder REM-Phasen, in denen, wie tagsüber, der chaotischere symphathikotone Zustand dominiert. Wenn diese Abfolge gestört ist, bedeutet das, dass der Organismus nicht in der Lage ist, mit der Beanspruchung fertig zu werden. Das am Tag berechtigte Chaos wird in die Nacht getragen, wo eigentlich Ordnung vorherrschen sollte." [62]

Prof. Moser entwickelte ein Gerät, den Heartman, der wie ein EKG mit drei Elektroden auf der Brust angeklebt wird. Er misst die Herzfrequenzvariabilität und zeigt über einen speziellen Algorhythmus, mit dem er aus den Daten einer 24-Stunden-Messung autochrone Bilder anfertigen kann, den Gesundheitszustand der Testperson an. In gewisser Weise misst das Gerät, was das Herz „hört". Das Herz achtet nämlich wie ein improvisierender Musiker in einer Jazzband auf die Mitspieler, auf andere Rhythmen im Körper wie Blutdruck und Atmung und integriert sie in seinen Beat. Nicht zuletzt auf der Grundlage dieses Geräts entstand unter Mosers Leitung eine ganz besondere

---

[61] Klasmann, op. cit. S. 23

[62] Klasmann, op. cit., S. 22

„Rhythmus-Kur" in der Kur- und Reha-Klinik Althofen (Österreich). Hier werden vor allem Menschen mit chronischen Rücken- und Gelenkproblemen und Schmerzen kuriert – und das nach neuesten chronomedizinischen Erkenntnissen! [63]

Eine faszinierende Entdeckung der Chronomedizin ist auch, dass die verschiedenen körpereigenen Rhythmen in einem harmonikalen Verhältnis zueinanderstehen – ganz im Sinne von Pythagoras. Gunther Hildebrand, einer der Begründer des neuen Forschungszweiges, fand heraus: „Bei 70 Prozent aller Menschen nimmt die Pulsfrequenz im Tiefschlaf das Vierfache der Atemfrequenz, die Atemfrequenz das Vierfache der Schwingung des Blutdrucks und die Schwingung des Blutdrucks das Vierfache der Durchblutung der peripheren Blutgefäße an." [64]

Diese Zahlenverhältnisse stehen nicht nur rein theoretisch für den Goldenen Schnitt und seine Ästhetik. Sie zeigen vor allem ganz konkret Gesundheit an. Je besser die verschiedenen körpereigenen Rhythmen aufeinander und auf die äußeren Abläufe abgestimmt sind, desto besser funktioniert der Gesamtorganismus, die Einheit von Körper, Geist und Seele. Diese Übereinstimmung oder Resonanz, die jeder selbst durch seinen Tagesablauf mitbestimmt, nennen Chronomediziner auch „Rhythmusgeber". Umgekehrt die „Rhythmusräuber": Wer mit seiner Arbeit oder seinen Gewohnheiten entgegen dem natürlichen Rhythmusgefüge lebt, riskiert seine Gesundheit. Etliche Studien belegen eine höhere Krebsrate bei Schicht- und Nachtarbeitern sowie Flugpersonal, das häufig extremem Jetlag ausgesetzt ist.

---

[63] Info https://www.humanomed.at/

[64] Klasmann, op. cit. S. 21

Die Störung des 24-Stunden-Tagesrhythmus (mit Jetlag) bei Piloten, so zeigte eine isländische Studie, korreliert mit einer häufigeren Erkrankung an Hautkrebs (verglichen mit Piloten, die tageszeitneutrale Nord-Süd-Routen fliegen). Frauen, die Nachtarbeit leisten, so verschiedene Untersuchungen, haben bereits nach sieben Dienstjahren ein um 60 bis 70 Prozent höheres Brustkrebsrisiko als "Tagarbeiterinnen". Eine Studie der Pariser Chronobiologen Francis Lévi und Marie-Christine Mormont zeigt einen deutlichen Zusammenhang zwischen dem Krebsstadium und dem Verlust der Synchronizität körpereigener Rhythmen. (...)

Synchronisationsstörungen der Circadianrhythmik sind unter anderem bei bestimmten Formen der Depression festgestellt worden. Änderungen der normalerweise in Ruhe beobachteten ganzzahligen Frequenzabstimmung zwischen Herz- und Atemrhythmus stehen in enger Beziehung zu vegetativen Regulationsstörungen und können beispielsweise nach einem Herzinfarkt auftreten. Auch führen die tagesrhythmischen Umstellungen des Organismus zu charakteristischen tageszeitlichen Häufungen von Erkrankungen wie etwa Asthmaanfälle, Lungenödeme oder Herzinfarkte." [65]

Auch wenn die Kurven und Werte für alle Menschen gelten, handelt es sich doch immer um ungefähre Angaben. Bei einem Blutdruck von 220 zu 140 wird es für jeden brenzlig, viel mehr geht nicht. Ein guter Wert ist 120 zu 80, aber ein- bis zwei Zehntel darüber oder darunter sind okay, für einige Menschen vielleicht sogar besser als der Normwert. Jeder Mensch tickt etwas anders. Chronobiologen unterscheiden zum Beispiel zwischen „Lerchen" und „Eulen". Die Lerchen gehen abends früh schlafen und stehen morgens früh auf. Eulen bleiben gerne einige Stunden länger wach und kommen morgens nicht so leicht aus den Federn. Angenommen eine allgemeine Leistungskurve

---

[65] Quelle: Dr. Eduard Tripp, www.shiatsu-austria.at

zeigt an: Morgens zwischen 8 und 10 Uhr beste Konzentrationsfähig-keit. Da liegt der Langschläfer womöglich noch im Bett! Hat er nun die beste Chance für konzentriertes Arbeiten verpasst? Oder hat sich bei ihm etliches verschoben und er kommt (seiner Natur gemäß) erst über Mittag richtig in Schwung? Das ist gar nicht so leicht herauszufinden.

Wir kommen im zweiten Band auf die Möglichkeiten und Erkennt-nisse der Chronobiologie und Chronomedizin in Verbindung mit Mu-sik zurück.

Kymatik: Wasser-Klangbilder

Wir bleiben noch etwas auf der wissenschaftlich-theoretischen Ebene, bevor wir aktiv der Natur lauschen. Schon in der Antike erkannten Philosophen und Mathematiker eine Einheit von Mensch und Natur im Rahmen von Schwingungstheorien. Alles fließt und schwingt. Und was schwingt, erzeugt auch eine Resonanz. Wir sind mit der Natur in Resonanz.

Ein Element spielt hier eine besondere, zentrale Rolle: Wasser. Unsere Erde ist zu 70 Prozent von Wasser bedeckt. Unser Körper besteht zu über 70 Prozent aus Wasser. Wir schweben als Embryo die ersten Monate unseres Lebens im Fruchtwasser. Der Klang sprudelnder Bäche oder rauschender Wellen belebt unsere Psyche, baut uns innerlich auf. Komponisten haben die Bewegung des Wassers zum Vorbild für Klavierstücke und Orchesterwerke gemacht. Und es gibt noch mehr erstaunliche Zusammenhänge.

Da sind die Forschungen des Japaners Masuru Emoto, der mit seinen Fotos von Wasserkristallen demonstrieren wollte, dass Wasser in Resonanz mit Musik und sogar mit Begriffen wie „Liebe" oder „Hass" ist. Die Kristalle zeigen eine klare, schöne Struktur, wenn das Wasser Musik von Mozart „hörte" – und deutlich weniger klare, „hässliche" Strukturen, wenn es dröhnender Heavy Metall Musik ausgesetzt war. Die Forschung von Emoto ist wegen ihrer subjektiven Interpretationen umstritten, doch ich halte sie für richtungsweisend. Es geht darum, die innere Verbundenheit, ja Einheit mit allem was ist zu entdecken und so die verheerende Abspaltung des Menschen von seiner Heimat Erde zu überwinden.

Ein anderes faszinierende Phänomen wurde bereits vor mehr als 200 Jahren dokumentiert. Der wohl erste Wissenschaftler, der Frequenzen sichtbar machte, war der deutsche Physiker Ernst Florenz Friedrich Chladni (1756-1827). Er strich mit einem Geigenbogen ein Blech an, das mit Sand bestreut war. Der Sand zeigte geometrische Formen, die allgemein Bewunderung erregten. Napoleon Bonaparte soll sogar ausrufen haben: „Der Chladni lässt uns die Töne sehen!"

In seinem Werk „Die Entdeckung über die Theorie des Klanges" (1787) beschreibt Chladni erstmals die Figuren und ihre Erzeugung. Goethe traf sich mehrmals mit dem „Vater der Akustik" und skizzierte daraufhin eine eigene Tonlehre, die allerdings ein Fragment geblieben ist.

Rudolf Steiner (1861-1925) nahm in seinem Berliner Vortrag von 1908 direkt Bezug auf Chladni und übertrug die Idee auf die Sphärenharmonie:

„Wenn Sie eine dünne Messingplatte nehmen, sie möglichst gleichmäßig mit feinem Staube bestreuen und mit einem Fiedelbogen diese Platte streichen, dann wird nicht nur ein Ton hörbar, sondern es ordnen sich die Staubpartikelchen in ganz bestimmten Linien an. Da bilden sich allerlei Figuren, dem Tone entsprechend. Der Ton bewirkt eine Verteilung der Materie, des Stoffes. Das sind die bekannten Chladnischen Klangfiguren."

Steiner ging aber noch einen Schritt weiter: „Als der geistige Ton durch das Weltall erklang, ordnete er die Planeten in ihren Verhältnissen zueinander zu einer Sphärenharmonie. Was Sie im Weltenraume ausgebreitet sehen, das hat dieser schaffende Ton der Gottheit angeordnet. Dadurch, dass dieser Ton in den Weltenraum hineintönte, gestaltete sich die Materie zu einem System, dem Sonnen- und Planetensystem. So ist auch der Ausdruck Sphärenharmonie nicht ein geistreicher Vergleich; er ist Wirklichkeit." [66]

Der Schweizer Naturforscher, Arzt und Künstler Hans Jenny (1904-1972) prägte den Begriff „Kymatik". Er schrieb: „Will man das

---

[66] Steiner, Rudolf: „Das Wesen des Musikalischen und das Tonerlebnis im Menschen". Steiner Verlag (GA 283), Dornach 2001

umrissene Forschungsfeld kennzeichnen, so kann man ihm den Namen Kymatik geben (to kyma die Welle, ta kymatika, die Dinge, die sich auf die Wellen beziehen, die Wellendinge). Damit ist zum Ausdruck gebracht, dass es sich nicht nur um Schwingungsphänomene im engeren Sinne handelt, sondern eben vor allem um Schwingungseffekte." [67]

Jenny erforschte, wie sich unterschiedliche akustische Schwingungen in verschiedenen Medien – Wasser, Luft, Sand u.a. – bildlich zeigen. Diese Gestaltwerdung sollte phänomenologisch, das heißt so genau und unvoreingenommen wie möglich an der gegebenen Erscheinung selbst untersucht und beschrieben werden. Daraus ist ein ganzheitlicher Ansatz erwachsen, in welchem Wissenschaft, Kunst, Musik und Spiritualität einander ergänzen. Jenny hat die relativ spärlichen, aber bedeutenden Erkenntnisse von Schwingungsforschern im Zusammenhang mit naturphilosophischen Einsichten von Johann Wolfgang von Goethe und Rudolf Steiner gebündelt, empirisch untermauert und ausgebaut. Heute ist die Kymatik (im angelsächsischen Sprachraum Cymatics) ein vielschichtiges, lebendiges Forschungsfeld.

Ich bin erst vor einigen Jahren auf die Kymatik und die erstaunlichen Schwingungsbilder aufmerksam geworden. Als ich den Fotografen Michael Memminger [68] in seinem Büro und Fotoatelier in Rosenheim besuche, fällt mir als erstes ein Foto in rötlicher Farbe auf schwarzem Grund auf, ein „MagicAqua" Bild. Darunter steht die Apparatur, die solche Aufnahmen möglich macht. Eine Digitalkamera ist senkrecht nach unten auf eine etwa 10 cm breite, kreisrunde Wasserschale gerichtet. Diese ist in einem Basslautsprecher platziert, der wiederum an

---

[67] Jenny, Hans: „Kymatik. Wellenphänomene und Schwingungen", AT-Verlag, Aarau 2009, (zit. n. Atmani: Kymatik, in: Info 3, Anthroposophie im Dialog, Sept. 2014

[68] Info: www.magicaqua.de

einen Verstärker und ein spezielles Gerät angeschlossen ist, mit dem man gezielt alle möglichen Frequenzen erzeugen und in Klänge verwandeln kann. Auch solche von unter 20 Hertz, die wir nicht hören können, die aber im Wasser wunderbare Wellenmuster erzeugen. Je nachdem welche Farbe das Licht hat, mit dem die sichtbar gekräuselte Wasseroberfläche angestrahlt wird, entstehen violette, blaue, goldorangene oder tiefrote Schwingungsmuster.

Michael erklärt mir, dass seine Fotos von Alexander Lauterwassers Wasserklangbildern inspiriert sind. [69] Dessen Forschungen sind sein Vorbild. Michael dreht an einigen Knöpfen des Klangwandlers. Ein sphärischer, in sich vibrierender Sound ist zu hören. Auf dem Bildschirm flirrt die Mandala-artige Form. Das Bild ändert sich in Bruchteilen einer Sekunde. Mal tauchen in der Mitte feine Kreise und Ringe auf, mal wabern Blasen durcheinander, dann wieder bleibt eine bestimmte Struktur länger konstant.

„Da, jetzt bildet sich gerade eine schöne, symmetrische Form. Ich reduziere den Impuls auf ein reines Sinussignal ohne die Obertöne, die bei Instrumenten und unserer Stimme immer mitschwingen. Je einfacher das Tonsignal, desto klarer und beständiger ist die Wellenstruktur. Es ergibt sich eine ‚stehende Welle‘, wie die Physiker sagen. Dann wirkt das Bild wie eingefroren.“

Wir schauen uns gemeinsam einige der Postkarten mit Michaels Wasserklangbildern an. Jedes ist einzigartig. Auf der Rückseite steht klein die jeweilige Frequenz. Bei dem hellblauen Motiv, das aussieht, als wäre gerade etwas ins Wasser gefallen – mit vielen Ringen im Zentrum und gleichmäßigen „Spritzern“ am Rande - lese ich: „Merkurton, Frequenz 35,32 Hz“. Das sei einer der Planetentöne, erklärt Michael, und fährt fort: „Der Schweizer Mathematiker Hans Cousto (geb. 1948) errechnete sie, indem er die Periode der Umlaufbahnen um die Erde so oft oktavierte, das heißt die Zahl verdoppelte, bis er auf eine Frequenz

---

[69] http://wasserklangbilder.de

im hörbaren Bereich kam. Das hat dann über Joachim-Ernst Berendts Buch ‚Nadabrahma – die Welt ist Klang' und über seine CDs mit den Planetentönen einen regelrechten Boom ausgelöst. Viele Heilpraktiker und Klangtherapeuten arbeiten mit Klangschalen und anderen Instrumenten, die auf die Planetentöne gestimmt sind. Das beliebteste Bild ist übrigens der sogenannte Jahreston der Erde. Etliche sind überzeugt, dieser Ton würde dem heiligen OM entsprechen."

Auf meine Frage, ob die Farbe Blau ist, weil wir seit der Mondlandung vom „Blauen Planeten" schwärmen, antwortet er: „Nicht nur. Oktaviert man die Frequenz des Erdtons weiter in den spektralen Bereich, wo wir Farben wahrnehmen, kommen wir auf blau. Und nicht nur die Erde, auch unser Körper besteht zu über 70 Prozent aus Wasser. Daher finde ich es bedeutsam, dass diese Bilder im Medium Wasser entstehen. Es ist alles nur Wasser und Klang, keinerlei weitere Computermanipulation. Wie es möglich ist, dass sich Frequenzen in so wunderschönen Formen zeigen, kann ich nicht erklären. Ich bin kein Wissenschaftler, sondern vor allem Fotograf. Mich fasziniert die Ästhetik."[70]

---

[70] Das Kapitel „Kymatik" entspricht in Teilen meinem im Magazin „raum & zeit", Ausgabe 215/2018 veröffentlichten Artikel „Kymatik". Mehr zum Phänomen der Schwingungen, Obertöne und kosmischer Zusammenhänge werden im 2. Und 3. Band von „Leben wie Musik" dargestellt.

Stimmen der Natur

"In dieses Waldes leisem Rauschen

ist mir, als hört ich Kunde wehen,

dass alles Sterben und Vergehen

nur heimlich still vergnügtes Tauschen".

So wie Nikolaus Lenau (1802-1850) beschrieben viele Dichter der Romantik ihre tiefgründige Beziehung zur Natur, und ihre Gedichte wurden bekanntlich einfühlsam vertont. Ihre Epoche ist vergangen. Der Wald rauscht immer noch - zum Glück. Was die Romantiker zum Anbruch des Industriezeitalters allenfalls als Bedrohung spürten, ist heute allerdings konkret: Der technische Fortschritt hat den Waldbestand der Erde derart reduziert, dass Sterben und Vergehen kaum noch als „heimlich still vergnügtes Tauschen" verstanden werden können. Wenn also der Biologe **Walter Tilgner** seiner Naturhörbild-CD *„Waldesrauschen"* den Lenau-Vers im Booklet beifügt, dann darf dies als Meditationsanleitung gelten. Lausche dem Rauschen des Waldes, den Gesängen der Natur. Hör die Kunde wehen: Vergehen will sich tauschen mit Entstehen, der Kreislauf des Lebens muss erhalten bleiben.

In dem amerikanischen Science-Fiction Film **Jahr 2022 ... die überleben wollen** (Originaltitel: *Soylent Green, 1973*) werden alte Menschen, die zum Sterben bereit sind, in eine Art 'Dolby-Surround' Privatkino geführt. Dort dürfen sie jene Natur genießen, die ihnen im Leben nicht mehr vergönnt war, weil es nur noch Stahl, Beton und Computerchips gibt. Abgesehen von dem grauslichen Geheimnis, dass die Greise zu Nahrung verarbeitet werden, ist das ein aktueller Mythos. Die technologische Imitation der Natur durch den Menschen - so naturgetreu wie möglich. Eine Computeranimation. Warum? Wozu? Aufgrund der verstärkten Nachfrage!

Die Natur war und ist Hauptgegenstand aller Kunst. Jäger und Sammler imitierten Tiere, um sie zu beschwören. Harfenspieler weckten Assoziationen zu Wind und Wasser und sangen dabei von Liebe, Tod und Naturgeistern. Klassische Symphonien widmeten sich 'pastoral' der Idylle einer weidenden Schafherde, impressionistische Pianoperlen eines Debussy verfeinerten das Bild. Dann, im 20. Jahrhundert, gab es einen außerordentlichen Bruch. Er spiegelte eine nie da gewesene Kluft zwischen Mensch und Natur. Die Musik begann, wie die anderen Künste auch, das Fehlen oder Zerstören von Natur darzustellen: Mal triumphierend, mal wehmütig, mal protestierend, mal resigniert oder zynisch.

Bevor Komponisten auf die Idee kamen, originale Naturgeräusche aufzunehmen, versuchten sie es mit originalen Geräuschen der neuen Technik: Dampfwalzen und Fabrikgetöse („**Musique concrète**"). Ethnologen wie **J. Walter Fewkes** und **Washington Matthews** hatten dagegen bereits vor hundert Jahren Indianergesänge und Volksmusik aller Art auf Wachswalzen aufgenommen, doch nicht zur Entspannung, sondern aus ihrem Fachinteresse heraus. Naturgeräusche einfach so, zur Freude am Zuhören, auf einer Schallplatte - dieser Einfall wurde erst mit der 'New-Age'-Bewegung und ihrer Musik populär. Einer der ersten Musiker, die zu ihren Gitarren- oder Keyboardklängen Bäche gluckern und Vögel zwitschern ließen, war **Georg Deuter**.

„Die Idee hat er von mir", vertraute mir der Klangforscher und Klangschalenmusiker **Klaus Wiese** an. „Wir sind damals, Ende der 60er, zusammen mit dem Mikrophon losgezogen, in abgelegene Waldstücke, Wiesen und Felder". Es gab zwar schon vorher Platten mit

Vogelstimmen - für Ornitologen und Naturfreunde. Doch Klaus Wiese hat die Amsel so genau belauscht und auf Tonband gebannt, dass er in manchen Vogelstrophen „afrikanische Patterns" erkennen konnte. Die Vogelkollegen, d.h. die Amselmänner der näheren Umgebung, seien während der Aufnahmen sprachlos gewesen, meint er. Befassen wir uns etwas mit dem Gesang der Vögel und wie einige bekannte Komponisten und Musiker den einsetzten.

Lauschen

Lauschen will gelernt sein. Am einfachsten entsteht jene für das Lauschen typische Mischung aus gespannter Aufmerksamkeit und innerer Stille beim Anpirschen. Als Junge wollte ich, wie wohl die meisten Jungen und sicher auch etliche Mädchen, ein Indianer sein. Ich übte das Anpirschen auf Tiere - meist waren es die Vögel im Garten - und während ich mich ganz darauf konzentrierte, kein Geräusch zu machen, schien die Umgebung an Tiefe und Schärfe zu gewinnen. Alles wurde intensiver. Doch darauf achtete ich nicht besonders. Heute würde ich denken oder sagen: „Aha, Meditation!"

Meditation bedeutet nach meinem Verständnis keinesfalls bloß Entspannung, obwohl ich nicht bestreiten möchte, dass Entspannung ein wichtiges Element darin ist. Meditation darf als Instrument der Bewusstseinserweiterung logischerweise nicht einschläfern, sie muss irgendwie wacher machen, die Sensibilität erhöhen. Demnach sollte auch Musik zur Meditation nicht nur entspannen, sondern zugleich auch zum Lauschen anregen. Dafür gibt es viele gute Beispiele aus unterschiedlichen Kategorien, von Gregorianik und Raga bis zu Jazz und Pop. Allerdings mischen sich bei jeder Art von Musik leicht Vorlieben und Abneigungen, Kenntnisse und Urteile ein - was die Klarheit beeinträchtigt. Den Stimmen und Geräuschen der Natur zu lauschen ist deshalb im Grunde die einfachste und effektivste Hör-Meditation. Dabei werden wohl kaum Geschmacks- oder ästhetische Werturteile angeregt, sondern eher - zumindest ansatzweise - Urinstinkte. Vielleicht erweckt der Ruf eines Vogels Angst? Oder Jagdgelüste? Das sind die hormonalen Wachmacher. Das Tier in uns ist erwacht. Wir sind für kurze Zeit zum Wald- oder Meeresbewohner geworden.

Ich möchte nun einige CDs vorschlagen, bei denen das Lauschen in seiner verschiedenen Ausprägung (vom Jäger zum Genießer) angebracht ist. Zum Teil sind diese Tonträger auch gezielt auf eine solche Höreinstellung angelegt. Dem Lauscher schenken sie ihre eigentliche Bedeutung, ihren Wert. Er oder sie wird wacher, frischer - kurz: lebendiger. Und das ohne Kaffee. Das ist auch kein Kaffee-Ersatz. Gerade weil der sonst übliche Nervenkitzel, die körperliche oder emotionale Stimulation einer stillen Klarheit weicht, können Geistesblitze einschlagen. Plötzlich singen die Wale und Vögel bedeutungsvolle Lieder.

Hörbild 1: Natur Pur.

Wie bei einem klassischen Solokonzert beginnt das Orchester mit einem Klangteppich aus Grillenzirpen, Mückensirren und Vogelflöten, bevor der Timberwolf seine wehmütig heulende Stimme erhebt, was leider in freier Natur nur noch ungeheuer selten zu erleben ist. Das **Ryko-Label** (von **Grateful Dead** Schlagzeuger **Mickey Hart** begründet) unterstützt mit **The Atmosphere Collection:** *'Timberwolf'* das 'International Wolf Center' in Minnesota. Eine von vielen Aufnahmen, die reine Natur, ohne zusätzliche Musik, dokumentarisch-künstlerisch darstellt, und zwar in Verbindung mit einer Organisation, die zum Schutz der Natur eingerichtet wurde. Beim selben Label erschien die Reihe **Brazilian Rainforest** zur finanziellen Unterstützung der Organisation 'Animal Audio Arb'. Deren Präsidentin, **Ruth Happel** nahm die faszinierende Welt des Brasilianischen Regenwaldes technisch aufwendig und mit feinem Klanggespür auf. (CDs: *'Dawn Chorus', 'Evening Echoes', 'Jungle Journey', 'Rain Forest'.)*

In Deutschland hat sich **Walter Tilgner** (geb. 1934), ehemals beim Bodensee-Naturmuseum, mit seinen eindringlichen Naturhörbildern einen Namen gemacht. Aufnahmen von seltenen Vögeln bei der Balz, von Tages- und Jahreszeitenstimmungen mit knackenden Zweigen, Hasen, die im Schnee hoppeln und röhrenden Hirschen. Die Geräusche haben nicht nur - dank Kunstkopftechnik - eine überwältigende Raumtiefe und Präsenz, sie sind auch in der Gesamtstimmung und Dynamik mit viel Liebe und Sorgfalt aufgenommen und gestaltet. Die Booklets bieten schöne Fotos und anschauliche, informative Texte. Hans-Ulrich Werner schreibt über Walter Tilgner:

„Walter Tilgner verzichtet mit seinen Hörbildern auf weitere Manipulation, Mischung und spezielle Bearbeitung der Aufnahmen im Tonstudio. Die Montage von Material, Zeit und Raum orientiert er an authentischen Hörsituationen, wobei ihm bewusst ist, dass objektive Wiedergabe bei medialen Situationen unmöglich ist. Mit Kopfhörer, aber auch über die hochwertigen Monitore mit Manger-Schallwandlern wird seine dichte ,immersive' Illusion der Natur in der Kunstkopfaufnahme deutlich, im Gesang der Nachtigallen am Bodensee wie bei den Weißstörchen in den Auwaldbiotopen bei Wien oder den Kranichen auf Rügen. (…)

Anders als der analytisch vorgehende Vogelwissenschaftler sucht Walter Tilgner vor allem ganzheitliche Situationen. Der Gesang der Nachtigall ist eingebettet in das Vogelkonzert der Morgenröte. Der ganze Uferraum wird hörbar, Wind, Wasser, entfernte Glocken und ein früh aufgestandener Motorfischer: ‚Man kann aufgrund des Hörbildes zeigen, dass ein Wald zu verschiedenen Tages- und Jahreszeiten anders klingt ebenso wie in den unterschiedlichen Waldtypen. Das Zusammenspiel der Vögel – sagen wir einmal das Singen, das erste Schlagen des Rotkehlchens, das Zetern der Amseln, dann kommen die Meisen dazu – das kann man nicht künstlich zusammen-mischen.“[71]

Die CDs: *'Blaukehlchen'*, *'Frühlingskonzert'*, *'Kraniche'*, *'Nachtigall'*, *'Vogelhochzeit'*, *'Waldesrauschen'*, *'Waldkonzert'*, und weitere sind alle bei WERGO/SMD erschienen.

Hier handelt es sich um ein eigenes Genre, das eben nicht als Soundtrack und auch nicht nur zur 'heilenden Entspannung' gedacht ist. Eher zur Anregung, selbst wieder öfter in die Natur zu gehen, um dort einfach still zu sein und zu lauschen. Seit langem gilt dies als spiritueller Weg. Der Ayurveda-Bestsellerautor **Deepak Chopra** lässt seine Leser (allein in den USA Millionen) eine Verpflichtung eingehen, um das (vedische) 'Gesetz des reinen Potentials' zur Anwendung zu bringen:

„Ich werde mir jeden Tag die Zeit nehmen, mich auf die Natur einzustimmen und stumm die Intelligenz in allem Lebendigen zu bezeugen. Ich werde still einen Sonnenuntergang betrachten, dem Meer oder einem Fluss lauschen oder einfach an einer Blume riechen. In der Ekstase meiner eigenen Stille und durch die Einstimmung in die Natur

---

[71] Quelle: https://www.fpi-publikation.de/downloads/?doc=gruene-Texte_werner-natural-sound-von-der-bioakustik-zur-biophonie-gruene-texte-04-2017.pdf

genieße ich den Lebenspuls der Ewigkeit, das Feld des reinen Potentials und grenzenloser Kreativität." [72]

Aufnahmen mit Naturgeräuschen (nicht so intensiv und fast dramatisch wie die von Tilgner) sind als Erholungs- und Energiespender zunehmend im therapeutischen, ja sogar im Bürobereich gefragt. Nicht jeder kann sich einen echten Wasserfall im Wohnzimmer leisten - auf Bahnhöfen oder Flughäfen sollten sie möglich sein. Doch laut Feng-Shui Experten, die Hotelmanager und Hausfrauen beraten, hebt sich das Energieniveau schon durch das unaufdringliche Bach-Geplätscher von CD oder Endlosband, dazu möglichst ein großes Wasserfall-Poster an der Wand. Das Nervensystem wird über die Sinne angeregt, beruhigend und heilend auf Körper, Geist und Seele zu wirken. CD-Serien wie **Relax With Nature** mit überwiegend stillen, gleichmäßig fließenden Naturgeräuschen werden im Rahmen des allgemeinen Gesundheitstrends noch stärker gefragt sein als bisher. Auf *'Drifting In A Calm Bay'* schlagen 60 Minuten lang kleine Wellen glucksend gegen ein schwimmendes Holzboot. Sanfte Meereswellen lassen in *'Ocean Waves At Sunset'* unzählige Steinchen im zeitlosen Rhythmus rollen, von Ferne schreien Möwen. In *'English Country Dawn'* krächzen Rabenvögel, gurren Tauben. Hähne, Kühe und andere Freunde sagen dem Farmer 'Guten Morgen'. Der Tag wird gut. An die zwanzig Titel, die vor allem zur Entspannung und weniger für Naturforscher oder Schützer gedacht sind.

Bemerkenswert ist die Nachfrage an Gewitter- und Unwetteraufnahmen. Abgesehen von den dokumentarischen, eher reißerischen Video-Serien mit Tornados etc. gibt es informativ und ästhetisch gestaltete

---

[72] Deepak Chopra: 'Die Sieben Geistigen Gesetze des Erfolgs', Heyne, München 1994, S. 35

Plattenproduktionen mit Regen, Donnergrollen oder krachenden Schlägen. Auf **The Atmosphere Collection** *'Thunderstorm'* (Ryko) werden die Donnerschläge sogar in 23 Einzeltracks porträtiert. Zum Entspannen kaum geeignet, eher vielleicht zur Konfrontation mit Urängsten oder zur therapeutisch-rituellen Arbeit mit den Elementarkräften.

Im Unterschied zur Klavierkomposition *'Schmerz ist der Grundton der Natur'* von **Friedrich Nietzsche** sollen die Hörbilder mit Natur pur heilen und erfrischen. Auch und gerade dann, wenn Instrumente wie Keyboards dazukommen. Diese in die medizinische Ecke drängende (**Arnd Stein**) oder aus der Filmbranche kommende (**Gibson's Solitude**) Musikrichtung wird im zweiten und dritten Teil genauer dargestellt. Alle Naturaufnahmen können jedenfalls immer auch zur Besinnung anregen: Was höre ich in der Natur? Erlebe ich sie als Spiegel meiner selbst? Sagt sie mir etwas über Leben und Tod? Führt sie mich in die Stille?

Hörbild 2. Menschen des Waldes

In den vergangenen Jahren folgten etliche Musiker den Spuren der Ethnologen und lebten einige Zeit bei Völkern, deren Beziehung zur Natur noch sehr ursprünglich ist. **Louis Sarno** zum Beispiel machte seine Aufnahmen von den Gesängen und Ritualen der Babenzélé Pygmäen im zentralafrikanischen Urwald in einem Zeitraum von acht Jahren. **Bernie Krause** mischte dann das Bandmaterial im Studio mit professionellen Naturaufnahmen. Das Endprodukt ist eine faszinierende

Dokumentation: 'Bayaka. The Extraordinary Music Of The Babenzélé Pygmies' (ellipsis art).

„Das Erforschen von und Experimentieren mit Klang ist ein Wesenszug der Bayaka", meint Sarno. „Sie sind eher akustisch als visuell orientiert, was im Regenwald Sinn macht; denn manche Vögel, die man sein Leben lang hört, bekommt man nie zu Gesicht. Die Neugier bezüglich Klang und die natürliche musikalische Erfindungsgabe der Bayaka resultieren in einer außergewöhnlichen, wunderbaren Musik. Ein Beispiel ist das zu Recht berühmte koondi (Wasser-Trommeln). Dabei formen die badenden Mädchen ihre Hände zu einer Tasse und schlagen auf das Wasser. Der tiefe perkussive Klang reicht meilenweit." [73]

Weltweit bekannt wurde der eigentümliche jodelnde Gesang der Frauen. Die gesampelten Stimmen erreichten über die Hits von **Enigma** und **Deep Forest** Millionen von Menschen. Auf Sarnos erstem Track: 'Women Gathering Mushrooms' tauchen die hellen, klaren Lieder aus dem Hintergrund des Urwaldorchesters wie ein Zauber auf. Grillen, Mücken und Vögel vermischen sich mit dem vielstimmigen Frauengesang zu einem trance-auslösenden Klanggewebe (siehe nächstes Kapitel: Trance). Die Mädchen üben sich in der speziellen Gesangstechnik ab dem vierten Lebensjahr. „Als Teenager können sie singen, daß einem die Schauer den Rücken runterlaufen. Erfahrene Frauen heilen mit ihrer Musik sogar kranke Seelen." (S. 18) Einige der weisen Frauen singen und tanzen auf nächtlichen Festen mythische Geschichten von Schimpansen mit Armeestiefeln und Bäumen, die Radio hören.

---

[73] 'Bayaka. The Extraordinary Music Of The Babenzélé Pygmies'
Foto/Textband, 93 S. mit CD, ellipsis arts/intuition, S. 18 f.

Auch der Gitarrist **Martin Cradick** und seine Frau **Su Hart** lebten zusammen mit den Baka-Pygmäen im Regenwald. *'Heart Of The Forest'* konzentriert sich ähnlich wie Sarnos 'Bayaka' auf das musikalische Leben der Waldmenschen (Singen, Klatschen, Trommeln, Rasseln, einfache Saiteninstrumente). **Baka Beyond:** *'Spirit Of The Forest'* bringt darüber hinaus gemeinsame Improvisationen mit Gitarren, Mandoline und Geige. **Baka Beyond:** *'The Meeting Pool'* (Ryko) schließlich verbindet die magische Atmosphäre der Baka-Musik mit tanzbaren World-Music-Rhythmen, keltischen Melodien und modernen Keyboardarrangements zu einer beflügelnden Party-Stimmung.

Aus dem Regenwald in Papua New Guinea kommen die Aufnahmen von **Steven Feld**, der seit den 80er Jahren einen Eingeborenenstamm namens 'Kaluli' besucht. Die Kaluli verstehen sich selbst als 'Stimmen des Regenwaldes'. Sie singen mit den Vögeln, Insekten, Fröschen, dem Wasser und spielen dabei auf einfachen Instrumenten. **Voices of the Rainforest:** *'Bosavi, Papua New Guinea.'* (mit ausführlichem Begleitheft).[74]

In ihrem spielerischen, ungekünstelten Umgang mit Tönen und Themen können die Waldmenschen nicht nur MusikerInnen, sondern jeden von uns anregen, den eigenen Alltag kreativer und weniger verbissen zu gestalten. Im Regenwald geht es ums nackte Überleben, und doch kennen die Menschen dort - abgesehen von der Bedrohung ihres Lebensraums durch unsere westliche Zivilisation - nicht die Probleme und Sorgen, die aus der verkrampften, auf Abgrenzung und Absicherung bedachten Lebensweise in der Konsumgesellschaft entstehen. Von der Thematik her könnte hier das Wurzelchakra ins Spiel gebracht werden. Möglicherweise wirken Aufnahmen wie 'Bayaka' oder 'Heart

---

[74] Es ist aktuell ein 150-seitiges Buch mit DVD erschienen, https://www.voicesoftherainforest.org/

Of The Forest' ausgleichend und heilend auf das Basis-Energiezentrum.

Hörbild 3. Traumzeit mit Didgeridoo

Niemand glaubt allen Ernstes, wir könnten wieder so leben, fühlen und denken wie unsere naturverbundenen Vorfahren vor 5000 Jahren oder wie die nordamerikanischen Indianer, die australischen Aborigines und afrikanischen Baka-Pygmäen, bevor sie in den Genuss von Alkohol, Junkfood und TV kamen. Es gibt keinen Weg zurück. Wozu auch? Ob die Menschen schon allein deshalb im Paradies lebten, weil sie das rationale Denken noch nicht kannten, erscheint sehr fraglich. In allen Stammeskulturen gibt es gute und böse Geister. Die Kräfte der Natur waren und sind oft erschreckend. Um sie zu beschwören oder gnädig zu stimmen, wurden auf grausame Weise Menschen geopfert. Doch ganz gewiss können wir von den letzten echten Medizinfrauen und Stammesältesten eines lernen: Mutter Erde so zu achten, wie es ihr gebührt.

Die Art, wie die australischen Ureinwohner mit Natur umgehen, unterscheidet sich in einigen Punkten von der anderer Naturvölker. Das hat nicht zuletzt damit zu tun, dass ihre Kultur nachweislich über 100.000 Jahre alt ist und der abgelegene Kontinent Pflanzen- und Tierarten hervorgebracht hat, die es sonst nirgendwo gibt. *Burnum Burnum* (1936-1997), ein Aboriginal, dessen geistreiche Protestaktionen durch die Weltpresse gingen, erklärte mir auf einer gemeinsamen Fahrt durch einen Nationalpark in der Nähe von Sydney einige Zusammenhänge:

„In den Malereien und Gravuren der Aborigines stellen Tiere die Totems der Clans und der einzelnen Menschen dar. Sie sind eng verbunden mit der Traumzeit, die nicht nur die Vergangenheit erklärt, sondern auch Anleitung für die Gegenwart und die Zukunft gibt. Sie bestimmt im Grunde alle Aspekte des Lebens. Die Traumzeit repräsentiert das Drama der Schöpfung, als die mythischen Wesen aus den Himmeln und der Unterwelt auftauchten und durch das Land zogen. Sie formten Berge und Flüsse und schufen alle Pflanzen, Tiere und Menschen. Die Traumzeitwesen selbst konnten ihre Form wechseln und als Menschen oder Tiere erscheinen. Im Glauben der Aborigines sind sie immer noch in der Landschaft verborgen, und vor allem an den heiligen Plätzen kann der Kontakt mit ihnen hergestellt werden. Die Kraftplätze der Traumzeit sind meist auch in geologischer Hinsicht ungewöhnlich. Da gibt es oft Bodenschätze, besondere Steine oder Metalle. Es wurde zur erfolgreichen Strategie der Industrie, Aborigines über die Traumzeitgeschichten auszufragen, speziell darüber, wo genau sich die mythologischen Wesen unter der Erde aufgehalten haben. Die Kimberley Diamantenmiene, die bisher ca. 5 Milliarden Dollar eingebracht hat, wurde durch die Beschreibung einer alten Aborigines-Frau gefunden. Sie zeigte den Leuten, wo sich die Regenbogenschlange unter der Erde aufhielt, und in der Höhle waren die Diamanten."

Die Aborigines haben bewusst auf Ackerbau und Viehzucht verzichtet. Ihre magische Kunst ist dafür umso vielfältiger und subtiler. Das Hauptmusikinstrument, ein von Termiten hohlgefressener Eukalyptusstamm, erlebte bei uns im Westen unter dem Namen 'Didgeridoo' einen wahren Boom, der noch weiter anhält. (Bei den Aborigines hat das Instrument entsprechend den vielen verschiedenen Sprachen viele Namen). Ursprünglich wurde es nur in der heiligen Zeremonie des 'corroboree' eingesetzt. So simpel das Rohr aussieht - wird es von einem Könner geblasen, entstehen Klangwelten von unerschöpflicher Vielfalt. Einerseits löst der scheinbar monotone Grundton eine Art Trance aus (s. Kapitel 'Trance'), andererseits sind vor allem die

Aboriginal-Meister imstande, die Natur auf einer übersinnlichen Ebene zu reflektieren. Über die (auf den Platten meist mitaufgenommenen) Naturgeräusche und Tierstimmen hinaus können sie so die Essenz als unhörbare Schwingung vermitteln.

Imitiert z.B. **Richard Walley** auf *'Bilya'* (Oreade) das Bellen eines Dingos, dann scheint darin die Seele dieses Tieres mitzuschwingen. Bei anderen Tieren wie Emu, Possum oder Känguru sind die äußeren Bezugspunkte ohnehin weniger greifbar. Ein weiterer wichtiger Aspekt (auf den ich gleich ausführlicher eingehe) ist die Kommunikation. Auf einem Track dieses Albums führt Richard mit einem Wal vor, wie wunderbar das funktioniert. Ein anderes Album von Richard Walley - *'Kooyar'* - beschreibt ebenfalls Tiere, Stimmungen, Werkzeuge und Rituale aus der Welt der Aborigines.

David Hudson, Stammesmitglied der Tjapukai in Nord-Queensland, erweist mit *'Rainbow Serpent'* einem Traumzeit-Wesen die Ehre, das bei allen Aboriginal-Stämmen zentrale Bedeutung hat. **Steve Roach** versinn(bild)licht dabei das Energiefeld der röhrenden und grollenden Didgeridoo durch subtile elektronische Effekte. '176,000 Years in the Making' lautet der Untertitel von *'The Sound of Gondwana'*. So lange existiert, wie Archäologen neuerdings bestätigen, die Kunst der Aboriginals, die hier von Australiens führenden Didgeridoospielern **Hudson, Doyle, Atkins** und **Dargin** zelebriert wird.

Gary Thomas wurde von Stammesältesten der Aborigines im Didgeridoo-Spiel ausgebildet. Etliche Platten, darunter *'Gaia's Dream'* (AIM) mit dem ägyptischen Perkussionisten **Hossam Ramzy,** Konzerte und therapeutische Workshops machten ihn in Europa und Amerika bekannt. *'Winds of Warning'* und *'Dawn Until Dusk - Tribal Song And Didgeridoo'* (AMI) von **Adam Plack & Johnny Soames** sind als Aufruf gedacht, Verantwortung für Mutter Erde zu übernehmen. Die Didgeridoo erscheint mal als Solo- und Imitationsinstrument, mal in

Verbindung mit Stammesgesängen und Naturgeräuschen oder mit modernen Keyboardarrangements und poetischen Songs.

Der klassisch ausgebildete Musiker **Nomad** lebte im australischen Busch, um 'die Musik der Natur zu finden'. Zusammen mit dem indianischen Flötisten **Robert Mirabal** und dem Trommler **Mor Thiam** aus Senegal möchte der Didgeridoospieler auf *'Nomad'* (AMI) alte 'Traumpfade' und 'Song-Linien' aufzeigen. Ein gelungenes Konzeptalbum mit neun 'walkabouts' in die Natur. *'Track To Bumbliwa'* von **Wasinger/Harvey** führt an geheiligte Orte der Aborigines in Wüste, Busch und Regenwald Australiens. Außer Didgeridoos sind Trommeln, Percussion, Stimmen und die Stimmung gut treffende Synthesizerklänge zu hören - atmosphärische Dichte. (Weitere Musik zum Thema 'Traumzeit' im 3. Teil, Reisen)

Hörbild 4: Musik der Indianer

Karl Mays fiktiver Apachen-Häuptling Winnetou repräsentiert die besten Qualitäten seines Volkes. Er ist aufrichtig, tapfer, stolz, ein verlässlicher Freund, großzügig und weniger grausam oder rachsüchtig als viele seiner Artgenossen. Nur eines fehlt ihm zunächst: Der Glaube an den christlichen Gott. Der Leser hofft und ahnt, dass sich das eines Tages ändern wird. Und - welche Freude und Erleichterung - im Sterben bekennt der edle Wilde: „Winnetou ist ein Christ."

Dieses Indianerbild hat ein gutes Jahrhundert in Deutschland gewirkt, ist aber mittlerweile überholt. Seitdem das „New Age" angebrochen ist, erscheinen die Häuptlinge und Medizinmänner nicht mehr als arme Heiden, deren Seelen es zu retten gilt, sondern als spirituelle Ratgeber, bisweilen sogar als letzte Hoffnung für die spirituell verarmten weißen Brüder und Schwestern. Winnetou und der New-Age-

Schamane sind sicher zwei romantisierende Übertreibungen, aber immerhin zeigen sie eine positive Einstellung, die der großen Mehrheit der weißen Bevölkerung in Amerika nach wie vor abgeht. Die Idee, sich von amerikanischen Ureinwohnern belehren zu lassen oder sich ernsthaft für deren Lebenseinstellung und Kultur zu interessieren, gehört zum Underground. Obwohl einige Häuptlingsreden wie die von Chief Seattle schon im letzten Jahrhundert offene Ohren in der westlichen Zivilisation fanden und in diesem Jahrhundert weltberühmt wurden, ist der naturorientierte „Geist des roten Mannes" der intellektuellen abendländischen Mentalität immer fremd geblieben. Schließlich muss man diesen „Geist" praktizieren, um ihn zu verstehen.

Wie sehr sich die indianische von unserer Kultur unterscheidet, zeigt sich besonders deutlich an der Musik. Für den normalen Hörer bedeute die traditionelle Musik der Native Americans „very hard work", meint Anthropologie-Professor David P. McAllester in seinem Aufsatz „Dances with Coyotes" [75] Die rituellen Gesänge bieten für westliche Ohren keinerlei vertraute Melodik und wenig Abwechslung. Über die Jahrtausende haben die Stammesältesten streng über die Einhaltung der „musikalischen" Regeln gewacht, und auch heute noch werden die Zeremonien in den Reservaten von Klängen begleitet, die von keiner außerindianischen Musikrichtung oder Tradition beeinflusst sind. Trotz zahlreicher Aufnahmen - die ersten wurden von Anthropologen wie J. Walter Fewkes und Washington Matthews bereits vor hundert Jahren auf Wachswalzen gemacht - ist die indianische Musik in ihrer traditionellen, reinen Form kaum über die Reservate hinausgedrungen. Erst in letzter Zeit wurden die zeremoniellen Tänze und Gesänge über die New-Age-Bewegung auch in Europa bekannt. Gesangszitate und Trommeln, die geschickt mit modernen, pop-orientierten Arrangements unterlegt sind, tauchen sogar als Hits in den internationalen Musikcharts auf.

---

[75] David P. McAllester: „Dances with Coyotes" in: „World Music: The Rough Guide", 1994, pp 596-601

Das Thema „Native American Music" umfasst eine bunte Mischung, denn es gibt unter den rund zwei Millionen nordamerikanischen Indianern nicht nur unzählige traditionelle Gesangsgruppen, sondern auch viele populäre KünstlerInnen aus den Bereichen Country-, Folk-, Rock-, Jazz, Klassik, Crossover oder New Age. Und die bleichgesichtigen Musiker, die das Thema Indianer in ihren Werken verarbeitet haben, sollten ebenfalls einbezogen werden. Bei aller Vielfalt der Stile und Ausdrucksformen fällt auf, dass die Inhalte nie oberflächlich sind. Es geht immer um die Natur, den Großen Geist, die Würde und Freiheit des Menschen. Das allein lohnt schon die Beschäftigung mit der hier vorgestellten Musik.

Zu den alten Formen, die heute noch oft zelebriert werden und auf hunderten von Platten dokumentiert sind, gehört der Peyote-Gesang. Wer Carlos Castanedas Geschichten über den toltekischen Schamanen Don Juan gelesen hat, wird sich an die unheimlichen Initiationen erinnern, bei denen der halluzinogene, bitter schmeckende Peyote-Kaktus eine wichtige Rolle spielt. Die intensiven, nachtlangen Peyote-Gesänge sind laut Prof. McAllester auf dem ganzen Kontinent bei sozialen und religiösen Anlässen beliebt. Ursprünglich wurden sie aber wohl nur dort zelebriert, wo auch der Kaktus wächst. Wie bei den meisten zeremoniellen Gesängen werden mantra-artig klangvolle Vokale gesungen, der eigentliche Text beschränkt sich auf wenige Worte oder einige kurze Zeilen, die stets wiederholt werden. Im folgenden Beispiel aus der Tradition der Komantschen wird die rote Kaktusblüte mit dem Sonnenaufgang verglichen.

Na he ne nai, he ne,

Whinai haweyo-hinai yeya,

Daylight, kaci yowena,

Heyo nana, red flower,

Yave kici yowena.

Authentischer Peyotegesang ist zum Beispiel auf *„Peyote Songs from Navaholand"* zu hören. „Peyote Man" **Billie Nez** vom Stamm der Navajos (mit 200.000 Zugehörigen der größte Indianerstamm Nordamerikas) singt - hörbar in Trance - zur Schamanentrommel. Auf *„Peyote Canyon"* von **Paul Guy&Teddy Allen** teilen zwei Männer und zwei Frauen im einstimmigen Gesang ihre Visionen mit, begleitet von Rasseln, Trommeln und Tierstimmen aus einem Canyon. Ähnlich aufgebaut sind die schamanischen Reisen der beiden Navajos in *„Peyote Brothers"* und *„Peyote Strength"*.

Wohl noch populärer als die Peyote-Gesänge sind die sogenannten „Pow-Wows". Der Name kommt aus der Sprache der Algonkin im Nordosten und bezeichnet ursprünglich jemanden, der eine heilige Zeremonie anleitet. Darauf komme ich gleich im Teil über „Celebration" zurück. Zunächst möchte ich einen besonderen Musiker vom Stamm der Navajo vorstellen.

R. Carlos Nakai, 1946 in Arizona geborenen, wandte sich nach einem klassischen Musikstudium mit dem Hauptinstrument Trompete einem Instrument zu, das mit einer ganz anderen, unserem europäischen Musikverständnis sehr entgegenkommenden Seite indianischer Musik verknüpft ist: Der Zedernholzflöte. Die jungen Männer der Präriestämme wussten den weichen Klang des Instrumentes mit wehmütig-verlockenden Melodien zu verbinden, um ihre Bräute zu umwerben. Diese Tradition starb zwar gegen Ende des vorigen Jahrhunderts aus, die Flötenmelodien blieben jedoch Teil der musikalischen Darbietungen in den Reservaten. In den 70ern leitete der Comanche „Doc Tate" Nevaquayah in Oklahoma eine Flötenrenaissance ein, die **Nakai** in den 80ern in Arizona professionell ausbaute. Er studierte die alten Lieder bei verschiedenen Stämmen und verwob sie in kunstvollen Improvisationen zu neuen, meditativen und überaus stimmungsvollen Melodien. Das überaus erfolgreiche Album *„Earth Spirit"* (z.T. nach musikethnologischen Aufzeichnungen aus dem letzten Jahrhundert arrangiert) bietet 15 Solostücke für Zedernholz- und Adlerknochenflöte.

Ähnlich aufgebaut ist die Fortsetzung *„Changes"*. Auf *„Sundance Season"*, *„Desert Dance"* und *„Emergence"* singt Carlos auch alte (schamanische) Gesänge, rasselt und schlägt die Trommel. Vogelstimmen, Grillenzirpen und andere Naturaufnahmen erschaffen eine entspannende und lebendige Atmosphäre. Faszinierend sind die Imitationen von Tierstimmen auf der Flöte (besonders auf der Platte „Emergence", die Carlos Nakai übrigens - wie viele seiner indianischen Kollegen - mit dem beliebten Song „Amazing Grace" enden lässt.).

Nicht nur sein melodisch-meditatives Flötenspiel macht Carlos Nakai zum Repräsentanten einer indianischen „New-Age-Musik", sondern eine nach vielen Seiten offene Grundeinstellung bzw. Gesamtkonzeption. Auf *„Cycles"* arbeitet er (zusätzlich zu den traditionellen Gesängen, Flötenmelodien, Trommeln und Naturgeräuschen) auch mit Keyboard-Klanggemälden und elektronischen Effekten, um die „Lebenszyklen", die Kraft der Elemente, den Ruf des Schamanen, oder das Einheitsgefühl mit Mutter Erde noch plastischer und eindringlicher darzustellen. Die Musik erklingt u.a. regelmäßig im Heard Museum in Phoenix zur Dia-Show „Our Voices, Our Land", wo 15.000 Jahre indianische Geschichte vorgeführt werden. *„Spirit Horses"* verbindet indianische Tradition mit afrikanischen Trommeln und moderner Klassik (Kompositionen des Pianisten **James de Mars** für Klavier, Saxophon, Cello, Synthesizer und Streichorchester). Zu den weitgespannten, melodischen Bögen der Flöte passen besonders gut die kristallinen, feinen Klänge der selbstgebauten Koto-Harfengitarre von **William Eaton**, wie das Album *„Ancestral Voices"* (u.a. mit den **Black Lodge Singers**) überzeugend demonstriert. Zu den namhaften Musikern, mit denen Nakai zusammenarbeitet, gehört auch der deutschstämmige Pianist **Peter Kater**. Auf *„Natives"* improvisieren und meditieren die beiden über die „Sieben Richtungen" (zu den vier geläufigen kommen noch Himmel, Erde und „Innen"). Die zwölf Kompositionen auf *„Migration"* reflektieren die Bedeutung bewusst ausgeübter Rituale und beschreiben die Phasen der seelischen Entwicklung auf dem spirituellen Weg. Hier kommen noch weitere MusikerInnen dazu: Chris White

(Sologesang), David Darling (Cello) und ein gemischter Chor. Eine sehr beeindruckende, vielschichtige Musik.[76]

Viele indianische Musiker haben das „New-Age-Konzept" (Flöten, Gesänge, Erzählungen, Trommeln, Naturgeräusche, Keyboards etc.) in unterschiedlichsten Variationen aufgegriffen. **Douglas Spotted Eagle** - „Der den Adler sah" - ist auf seiner Zedernholzflöte ebenso versiert wie im Elektronikstudio. Er arbeitet wie Carlos Nakai erfolgreich als Komponist, Arrangeur und Produzent, oft zusammen mit anderen bekannten Musikern. *„Human Rites"* thematisiert das Ritual: "So wie die Erde die Jahreszeiten durchläuft, muss der Mensch mit Ritualen des Übergangs leben". Stimmungsvolle Kompositionen für Flöte, Synthesizer, Schlagzeuge, Gitarren, Violine und Naturgeräusche. Zu den Mitwirkenden und Helfern gehören die Grayhorse Singers, Steve Roach, Kostia, David Arkenstone, Robert Gass, Robby Bee sowie „Hearts Of Space", renommiertes Label und wichtigster New-Age-Rundfunksender der Nordamerikas. *„Sacred Feelings"*, *„Stand at the Center"* und *„Common Ground"* bieten ähnlich aufwendige Arrangements. Die mystische Qualität der Synthesizer Klangräume geht hörbar auf den Einfluss von Steve Roach zurück. Schlichter und stiller ist *„Canyonspeak"* mit dem Navajo-Sänger James Bilagody. Auf all diesen und weiteren Platten von Spotted Eagle zieht die Zedernholzflöte als Hauptinstrument ihre „Adlerkreise".

Papa John (John Herring) schnitzt seine Holzflöten selbst. Starke Naturverbundenheit und reiche Kenntnis der alten indianischen Kultur kommen in *„Inner Windows"* und *„Earth Medicine"* zum Ausdruck. Neben Flöten, Keyboards, Perkussion und Naturgeräuschen erklingt die Mundharmonika, - ein Anflug von Country-Western, der bei den Native Americans überaus beliebt ist. Schließlich sei unter den Flötenspielern noch der Navajo/Apache **Perry Silverbird** hervorgehoben.

---

[76] Nakais über 50 CDs sind hier gelistet: https://en.wikipedia.org/wiki/R._Carlos_Nakai_discography

Auf *„Spirit of Fire"* und *„The Blessing Way"* bilden seine sanften Flö-
tenimprovisationen eine überzeugende Einheit mit den Stimmen der
Natur, rituellem Gesang, Trommel und Rassel. Vater **Reuben Silverbird** leitet in einer eigenen Produktion, *„The World In Our Eyes"*
(Doppelalbum), zur meditativen Reise an. Er erzählt (auf englisch) von
der Natur und der Schöpfung, dazu erklingen Flöte, Gesänge, Tänze
und Naturgeräusche. Eine inspirierende Einführung in die indianische
Mythologie. Auf ähnliche Weise zaubern Schuldirektor **Cornel Pewewardy** (mit *„Spirit Journey"*) und der bekannte Lakota-Medizinmann
Earl Bullhead (*„Walking The Red Road"* und *„Keeper Of The Drum"*)
eine unvergessliche Atmosphäre.

Immer mehr nicht-indianische Musiker beweisen mit ihren Platten ein
mehr oder weniger tiefes Verständnis für die Spiritualität ihrer „Roten
Brüder". Oft haben sie mit ihnen zusammen in Reservaten gelebt oder
sind bei bedeutenden Medizinmännern in die Lehre gegangen. **Dik
Darnell** zum Beispiel wurde 15 Jahre von einem „Vier-Winde-Medi-
zinmann" ausgebildet. Er versteht sich nicht nur auf schamanische Gesänge, sondern weiß sie auch in eine neue zeremonielle Form einzu-
binden. In *„Ceremony"*, *„Mayan Dream"*, *„Following The Circle"* und
„Winter Soltice Ceremony" sind alle Elemente traditioneller indianischer Musik über harmonische Keyboardklänge und besondere Effekte
zu einer wahren Symphonie der Heilung verdichtet. UFOs, Engel und
aufgestiegene Meister, Gebete, Mantren und Walgesänge - alles verschmilzt und alle umarmen sich, besonders auf *„Voices Of The Four
Winds"*, einem gewaltigen Oratorium zu Ehren der Indianer und ihres
spirituellen Weges. Dik arrangierte auch die Lieder von **Denean**. Die
singt ihre Songs mit „Heya, Heya" und frischer Stimme zum Schlag
der Schamanentrommel, prasselndem Feuer (*„Fire Prayer"*), flattern-
den Adlerflügeln (*„The Weaving"*) und Donnerhall (*„Thunder"*).

Diese Art von New Age liegt im Trend. Sie bringt indianische Tradition und christliche Engel, medizinisch getestete

Entspannungswirkung und Pop problemlos auf einen Nenner. Einige „konservative" Stammesälteste beschweren sich zwar über den „unverantwortlichen Ausverkauf" ihrer Werte, der überwiegende Teil des indianischen Rates sieht die Entwicklung jedoch positiv. Tatsache ist, dass sich Workshops mit indianisch-schamanischen Inhalten nicht nur in amerikanischen New-Age-Hochburgen wie Santa Fé, Sedona oder Boulder, sondern auch in Europa rasant vermehren. Die Musik kann und will dabei meist gar nicht das Ritual oder die schamanische Reise unmittelbar anleiten, sondern eher inspirierend und entspannend wirken. In diesem Sinne sind die Alben von **David & Steve Gordon**: *„Sacred Spirit Drums"* und *„Sacred Earth Drums"* hervorragend als „schamanische Reise" konzipiert. Tierstimmen, indianische Flöten, hypnotisierende Trommelrhythmen und passende Keyboardarrangements geleiten in die „Welt der Geister". Eindrucksvoll, feinfühlig und professionell komponiert.

Tatsächlich gibt es eine beachtliche Zahl z. T. international bekannter Sänger und Sängerinnen, die für ihre indianische Sache eintreten: Floyd Westerman, Buddy Redbow, John Trudell, Buffy Sainte-Marie, Julian B., Robby Robertson, die Rockgruppen XIT (gesprochen „Exit") und Tiger Tiger, - sie alle bringen in ihren Songs Spiritualität und Sozialkritik, Tradition und Moderne, Country-Western, Folk, Jazz- und Rockmusik auf individuelle, ausdrucksstarke und authentische Weise zusammen. Aus Platzgründen kann ich hier nur auf eine Sängerin eingehen, die zugleich im weiteren Feld von „New Age" von Bedeutung ist: **Joanne Shenandoah.** Die Tochter eines Häuptlings der Onandaga und einer „Wolf-Clan"-Mutter eröffnete 1994 das Woodstock-Revival-Festival mit ihrem Song „America" und wurde von den „Ersten Amerikanern" zur „Native Musician of the Year" gewählt. Sie tourte mit Sängern wie Neil Young, Kris Kristofferson, Willie Nelson und Pete Seeger durch Amerika und Europa. Sie singt Lieder ihres Volkes, der Oneida-Irokesen, und eigene Songs, die das indianische Leben in Geschichte und Gegenwart reflektieren. Eine Frau, die Schönheit, Reife und großes Talent vereint. *„Life Blood"* berührt durch die melodischen Lieder der Langhaus-Irokesen (mit harmonischen Keyboards von Peter Kater), das Debütalbum *„Shenandoah"* bringt eigene Songs in englischer Sprache: Stimmungsvolle Balladen, begleitet von Gitarre, indianischen Flöten und Trommel, Keyboards, Mundharmonika, Bass und Schlagzeug,

Auf *Loving Ways* spielt und singt Shenandoah zusammen mit dem in ganz Nordamerika als Musiker und spiritueller Ratgeber geschätzten Mescalero-Apachen **A. Paul Ortega**. Ihr persönlichstes Album ist wohl *„Once in a Red Moon"*. Sie bringt zur Sprache, dass Indianer die höchste Selbstmordrate in Amerika haben, berichtet von ihrem Urgroßvater Chief Shenandoah, der einst der Armee Washingtons half und im Alter von 110 Jahren in Einsamkeit starb, schwärmt von ihrer neugeborenen Tochter und davon, dass bei den Oneidas (Irokesen) die Frauen über Krieg und Frieden entschieden. Diese Musik ist bei aller Rückbesinnung sehr gegenwartsorientiert; kritisch, aber nie aggressiv, weiblich sanft und zugleich klar und bestimmt.

Hörbild 5: Musik von Wind und Steinen

Das Grollen schwillt an, ein tiefer, vibrierender Grundton mit undefinierbaren Obertönen, unregelmäßig schwankend in der Lautstärke, verebbend zur Stille. Elektronik? Ja und Nein: Die schweren Bronzesaiten der großen Windharfe, die seit Frühjahr 1991 in der Ulmer Universität installiert ist, werden vom Wind bewegt, die Schwingungen

114

durch Tonabnehmer und eine sehr empfindliche Elektronik hörbar gemacht. [77]

Windharfen wurden zwar in unserer Klassischen Musik nie eingesetzt, weil ihre Klänge „zufällig", nämlich vom Wind erzeugt werden. Sie spielen aber eine Rolle in Mythen und alten Geschichten. König Davids Harfe „Chinor" soll um Mitternacht vom Nordwind gespielt worden sein, Homer beschreibt eine „Äolsharfe" (benannt nach dem griechischen Gott der Winde, Äolus) aus getrockneten Sehnen und einem Schildkrötenpanzer, in der Artussage stehen riesige Windharfen auf Felsen im Meer, um durch ihren „Geisterklang" die Feinde abzuschrecken, und in der Romantik ist die Äols- bzw. Windharfe beliebtes Symbol für natürliche Harmonie und tiefe Seelenregung.

In unserer Zeit ist die Windharfe für Klangforscher interessant, weil ihr Klang die harmonischen Obertöne der Saiten mit den Geräuschen des Windes (fraktale Strukturen) verbindet. **Wolf-Dieter Trüstedt** führt auf seiner CD *'Windharfe'* (Megatone/Gaya/Aquarius) Klänge vor, die manchmal wie ein Monochord, manchmal wie ein gestrichenes Stahlblech oder, wenn Tropfen oder Insekten die Saiten berühren, wie ein Banjo klingen. In neun „Bildern des Windes" entwickeln sich ganz verschiedene Stimmungen, ausgelöst durch die verschiedenen Wetterverhältnisse. Die Titel lauten z.B.: Morgentau, Insektentanz, Regentropfen, Sturm am Nachmittag, Gewitter am Abend. Das letzte Stück „Nachtwind" macht mit seinen sphärischen Harmonien verständlich, warum die Romantiker so sehr von der Äolsharfe schwärmten. Trüstedt beschreibt seine Faszination so: „Der Wind spielt ohne Emotion, er braucht kein Pathos, er drückt nichts aus, er braucht keine Regeln. Die Musik des Windes ist zeitlos. Der Wind zwingt

---

[77] Aktuell auch über Streaming zu hören: https://www.uni-ulm.de/einrichtungen/emu/windharfe/

niemandem irgendwelche Gedanken auf. In seiner Musik höre ich meine Musik. Der Wind ist frei - und er lässt den Zuhörer frei."

Ein außergewöhnliches und doch im Prinzip sehr einfaches Instrumentarium verwendet der Japaner **Hiroki Okano**. An verschiedenen Orten in der Natur, etwa im Wald, an einem Gebirgsbach oder am Meeresstrand, installiert er bis zu 1500 kleine Glöckchen, die auf natürliche Weise vom Wind bewegt werden. Auf seiner CD *'Music Of Wind'* (IC) ist nach einiger Zeit außer dem Rauschen eines Baches ein ganz feines Geklingel zu hören, das im Wehen des Windes an- und abschwillt. „Ein neuer Klang-Raum ist geboren: Musik von Wind, Zeit, Raum und Licht. Meine Performance besteht aus dem Aufhängen der Glöckchen, der Wind übernimmt das Spielen. Die Windglöckchen lehrten mich die Wunder der Natur."

In vielen Wohnzimmern, Veranden und Gärten hängen die beliebten 'Windspiele', Röhrenglocken, die meist pentatonisch oder nach den von Cousto berechneten Planetentönen gestimmt sind. Ein vom Wind bewegtes Holzstück schlägt die Glocken an und erzeugt so eine feine, unaufdringliche und entspannende Windmusik. Etwas Ähnliches lässt sich auch mit Kristallen arrangieren. Deren Schwingungen gelten als besonders energetisierend und heilend.

Die meisten herkömmlichen Musikinstrumente sind aus dem Naturbaustoff Holz gemacht. Von den einfachen Bambus- und Schilfrohrflöten bis zur Stradivari-Geige schwingt die Natur im Material, in der 'mater' mit. Doch auch Materialien wie Ton oder Stein können faszinierend klingen.

Der Hamburger **Walter Koll** baut und spielt Musikinstrumente, die es sonst wohl nirgendwo gibt. Angeregt von dem griechischen Instrumentenbauer **Stephanos Gazis** begann er Anfang der 80er Jahre, „Klangobjekte" aus Steinen, Hölzern und Metallstücken zu basteln. Musikethnologische Studien an der Berliner FU brachten genug musikalische Ideen: Rhythmen und Melodien, die dem archaischen Charakter der Instrumente entsprechen und zugleich Botschaften aus einer Welt vermitteln, die jenseits der Hektik und Normierung unserer technokratischen Konsum- und Mediengesellschaft auf feine Ohren und stille Aufnahme wartet.

Eptagon („Das Siebeneck") entstand als Projekt und Ensemble vor rund 10 Jahren. Erste Liveauftritte fanden ein begeistertes Echo und ermunterten zur Produktion einer CD, die nun, nach dreijähriger intensiver Arbeit, fertig ist. *„Seven Colours"* (Weltwunder Records/east west) bestätigt das Selbstverständnis von Eptagon, „Gesamtkunstwerk und Kulturereignis" zu sein, wenn auch nicht im spektakulären Sinn der Medien. Keine große Oper, kein Werk, das Massen interessiert, sondern ein untergründiges, stilles Signal für eine neue, alternative Auffassung von Kultur: „Die Inflation von Tönen, Rhythmen und Bildern in den Printmedien, im Hörfunk und Fernsehen oder auf den Datenautobahnen führt zu einer oberflächlichen Wahrnehmung. Quantität tritt an die Stelle von Qualität. Eptagon setzt dieser Schnelllebigkeit die Wiederentdeckung des einzelnen, sorgfältig ausgespielten Tons entgegen," schreibt das Produzententeam. Die Zahl Sieben, Esoterikern als kosmisches Ordnungsprinzip bekannt, sorgt für vieldeutige Zusammenhänge: Sieben (Klang-)Farben, sieben Musikstücke, sieben Grundtöne (der Tonleitern).

Die Musik selbst lebt nicht nur aus dem Klang der akustischen Instrumente (Zither, Harfen, Flöten, Digeridoo, Percussion, Trommeln, Steinspiel u.a.), sondern auch stark aus der wachen, meditativen Improvisation der MusikerInnen. Ines Schwarzbauer, Norbert Blankenstein, Werner Koenen, Renate und Walter Koll lassen in ihr Spiel Elemente aus ganz unterschiedlichen musikalischen Traditionen einfließen, führen uns in abgelegene Hochtäler Griechenlands, japanische Zenklöster oder den australischen Outback. Besonders gelungen sind Stücke wie "Tempesta e sole" oder "Walkabout", wo das Klingeln, Tröpfeln,

Klicken und Flüstern der eigens erfundenen Instrumente den Ursprung unüberhörbar macht: Die Natur selbst.

Bis zu 56 ganz normale Blumentöpfe aus gebranntem Ton, mit Wasser gefüllt und mit den Händen oder Holzhämmerchen angeschlagen, erzeugen auf 'Twilight Fields' und 'Wings Over Water' (ECM) von **Stephan Micus** ein melodiöses Rhythmusgefüge, das manchmal wie ein balinesisches Gamelanorchester, manchmal wie karibische Steeldrums, in jedem Fall aber bezaubernd klingt. Magisch wirkt seine Platte 'The Music Of Stones' (ECM), wo die 'klingenden Steine' des Bildhauers **Elmar Daucher** im Ulmer Münster durch Reiben und Schlagen zum Schwingen gebracht werden. Geht es darum, zu den *'Origins'* (Celestial Harmonies) zurückzukehren, ist auch die Ursprünglichkeit der Klangkörper von Bedeutung, zumal wenn der Titel eines Stückes wie *'Clay, Wood, Bone, Dirt'* (Lehm, Holz, Knochen, Dreck) auf das Material der Instrumente anspielt.

Steve Roach, der uns noch in anderen Zusammenhängen begegnen wird, hat bei Aborigines-Stämmen in der australischen Wüste gelebt und weiß eine starke 'Traumzeitstimmung' zu erzeugen. Zu seinen meditativen elektronischen Klängen kommen oft ausgefallene Instrumente. 'Oaxa Water Pots' (Tonkrüge indianischen Ursprungs), 'Bullroarer', 'Northern Sonoran Dreampipe' oder 'Spirit Catcher' - Schon ihr Name weist auf eine direkte Verbindung zur Natur und zu Naturgeistern hin. Ein letztes Beispiel: *'Singing Stones'* von **Michael Stearns** und **Ron Sunsinger**. Dort sind außer indianischen Gesängen, Flöten, Pfeifen, Didgeridoo, Trommeln und Synthesizer die 'singenden Steine' aus dem Utah National Park zu hören, in einigen Stücken sogar 'solistisch'. Die Klangvielfalt ist verblüffend - wie von tiefen Gongs, Klangschalen, Steeldrums, hohen Glocken, Gamelan oder Blumentöpfen.

Hörbild 6: Gesang der Wale.

Wale und Delphine genießen bei naturverbundenen Völkern und Kulturen großen Respekt. Die besondere Ausstrahlung der Meeressäuger fasziniert aber auch zunehmend den westlichen Zivilisationsmenschen. Ihre hochentwickelte Kommunikation wird als Gesang wahrgenommen und erreicht über Plattenaufnahmen und Filme mittlerweile Millionen von Menschen. Bei einigen Produktionen erhalten die Wale sogar Künstlertantiemen, und etliche Musiker schätzen die intelligenten Tiere als Kollegen und Freunde, mit denen sie sich musikalisch verständigen können.

Die bis zu 20 m langen Buckelwale kommunizieren über viele Kilometer hinweg durch eine Vielzahl unterschiedlicher Geräusche: Grunzen, Schnattern, Kreischen, Tuckern, aber auch langanhaltende Töne, die wie Gesang klingen. Von ehemals 100.000 Tieren lebten aufgrund des Walfangs 1990 nur noch ca. 7000 dieser "sanften Riesen". 2019 waren es allerdings wieder 25.000. [78]

Die ersten Aufnahmen von Buckelwalen machte Klang-Pionier **Frank Watlington** in den 60er Jahren in 300 m Tiefe. **Roger Payne**, einer der führenden Erforscher 'biologischer Akustik', produzierte und veröffentlichte diese Aufnahmen erstmals 1970. Er machte damit den Gesang der Buckelwale weltberühmt und half zugleich mit, den Walfang zu stoppen. Musiker wie **Paul Winter** und **Paul Horn** begannen, neu zu hören und zu komponieren. Paul Winter, der die Aufnahmen 1995 digital auf CD herausbrachte (*'Songs of the Humpback Whale'*, *Living Music*), bezeichnet die Walsongs als "Zeitlose Klassik der Musik der Erde". Die Buckelwale ändern ihre Lieder übrigens jedes Jahr, und so wunderbar wie hier haben die Wale bisher nicht wieder gesungen,

---

[78] Quelle: https://www.derstandard.de/story/2000110543896/buckelwal-bestand-naehert-sich-einer-magischen-zahl

meint Roger Payne. Das Nachfolgealbum *V. A. Living Music*: *'Deep Voices.- Humpback Whale II.'* demonstriert noch einmal das unglaubliche Klangspektrum vom tiefsten, dröhnenden Tröten bis zu höchsten Pfeiftönen. Roger Payne erläutert im ausführlichen Booklet die sehr unterschiedlichen Ausdrucksformen der intelligenten Tiere. Von jeder verkauften Platte gehen die 'Künstler-Tantiemen' an die Institute 'Wildlife' und 'Whale-Conservation'. Übrigens sind nicht nur die Buckelwale sangesfreudig. In *'Blackfish Sound - Killer Whales'*(Nature Sounds) gibt Dr. **John Ford** vom Vancouver Aquarium (auf englisch) eine Einführung in das Leben der Orca-Wale und erläutert an Unterwasseraufnahmen ihre erstaunlich differenzierte Kommunikation.

Walgesänge und Delphin-Gekecker mit Meeresrauschen und klassischer Musik - eine gefragte Mischung zur Entspannung. Auf *'Symphony For Whales'* (*Nature Sounds/Classic)* singen die Buckelwale zur Musik von Beethoven, Telemann und Haydn, im letzten Teil stimmen sie ihre eigene Symphonie an. Sanftes Wogenrauschen und fröhliche Delphinstimmen sollen auf *'Dreamtime Dolphin'* (Oreade) Kompositionen von Beethoven, Bizet, Ravel und **Christa Michell** beleben. Die niederländische Konzert-Flötistin hat beim Schwimmen mit Delphinen lebensverändernde, spirituelle Anregungen empfangen, die sie hier zusammen mit anderen Musikern mitteilen möchte. In **Dean Evensons** *'Ocean Dreams'* schweben Flötenmelodien mit Delphinen und Walen durch das weite Blau, glitzernde Harfentöne reflektieren die Sonnenstrahlen. Von stillen Pianostücken bis zur grandiosen (Synthesizer-) Sinfonie reicht die (nach klassischen Vorbildern komponierte) Musik, mit der **Stefan Schramm** aus Hamburg und **Jonas Kvarnström** aus Malmö den Gesang der Orca-Wale einbetten. Die beiden jungen Künstler leben in British Columbia, wo sie an der Universität ihre Musikstudien abgeschlossen haben und nun in Konzerten als Pianisten auftreten. (CDs: *'Pazific Blue I/II'*, *'Beneath the Waves'*, *'Gentle Giants - Orcinus Orca'*.)

Drei namhafte Musiker, die sich im Grenzbereich zwischen Jazz, World-Music, Klassik und New-Age bewegen, haben auf je eigene Weise mit Walen direkt kommuniziert und ihre Erfahrungen auf CD festgehalten. **Tim Wheater**, Mitbegründer der Gruppe 'Eurythmics' und renommierter klassischer Flötist, lässt seinen gewaltigen Kollegen auf *'Whale Song'* viel Raum fürs Solo. Dazu kommen Querflöte, Keyboards und Gary Thomas' Didgeridoo. **Paul Horn** hält mit seiner Querflöte einen Dialog mit der Wal-Dame Haida, zu hören im zweiten Teil von *'Inside The Taj Mahal 1'*.

Paul Winter schließlich gestaltet auf *'Whales Alive'* (Living Music) eine grandiose Symphonie. Die Buckelwalstimmen sind musikalisch in das volle Orchester mit Kirchenorgel integriert, dazu erzählt Leonhard Nimoy (fast zu) dramatisch herzergreifende Geschichten, Paul Winter spielt sein melodiöses Sopransaxophon. Einen virtuos-humoristischen Touch hat seine CD *'Callings'*. Die raffinierten Arrangements erwecken den Eindruck, als sänge der Wal tatsächlich die zu den Harmonien passende Melodie. Ein lebensfroher Bossa Nova.

Hörbild 7: Gesang der Vögel

Süße Klage,
Kleine Nachtigall,
Klang der Nächte, sage,
Wer gab dir den Schall?

Fielst von Sternen
Du, ein Engeltraum,
Daß wir Sehnsucht lernen

Nach dem lichten Raum?

Wurdest Leier
Für der Liebe Leid,
Singst der Seelen Feier
Nun im Federkleid?[79]

Der Gesang der Vögel wird bereits seit Jahrtausenden von Menschen in Versen als besonders schön und berührend gepriesen und auch in Musikstücken entweder nachgeahmt oder thematisiert. Dass auch Wale singen, wurde erst in der 2. Hälfte des 20. Jahrhunderts zur Kenntnis genommen. Jedenfalls gibt es seit einigen Jahrzehnten etliche hervorragende Aufnahmen mit Tierstimmen und Naturgeräuschen – mit und ohne menschliche Musikbegleitung, die zur Meditation und zum Lauschen besonders gut geeignet sind. Gehen wir zunächst auf die Musik von und mit Vögeln ein.

Singvögel verfügen über ein reiches Repertoire an Liedern mit stets variierenden Strophen. Dass sie zu Ehre Gottes und zur Freude der Menschen singen, dürfen wir gerne glauben, auch wenn Biologen wie Bernard Altum bereits im 19. Jahrhundert herausfanden, dass es um Konkurrenz der Männchen, Revieransprüche und Werbung der Weibchen geht. Je ausgefeilter der Gesang, desto stärker setzt der Sänger auf seinen Soloauftritt und grenzt sich von seinen Artgenossen ab. Weniger anspruchsvolle Melodien wie die von Sperlingen und Meisen ertönen auch im Ensemble.

---

[79] „An die Nachtigall" von Ernst Moritz von Arndt (1769-1860), Quelle: https://gedichte.xbib.de/Arndt_gedicht_An+die+Nachtigall.htm

In jedem Fall wird die Sangeskunst nicht vererbt, sondern erlernt, und zwar meist im ersten Lebensjahr. Da gibt es verblüffende Begabungen in der Kunst der Imitation. So lassen Amseln und Stare u.a. mit Handy-Klingeltönen aufhorchen. Etliche Komponisten nahmen Vogelgesang stilisiert in ihre Kompositionen auf. So auch Wolfgang Amadeus Mozart, der sich drei Jahre einen Star im Käfig hielt.

„In einem Haushaltsbuch verzeichnete der 28jährige Mozart unter dem "27. May 1784" den Erwerb des "Vogel Stahrl" für 34 Kreuzer. Das gelehrige Tier, so lässt eine Notenzeile unter der Eintragung mit Mozarts Bemerkung "Das war schön!" schließen, konnte bald das Rondothema aus dem Klavierkonzert Nr. 17 in G-Dur (Köchelverzeichnis 453) nachpfeifen, das etwa in der gleichen Zeit entstand."[80]

Unter den modernen Komponisten unserer Zeit hat sich vor allem Olivier Messiaen (1908-1992) Vogelstimmen zum Vorbild für seine komplexen Kompositionen genommen. Er zeichnete auf Weltreisen Vogelrufe auf, konnte 700 Vogelrufe unterscheiden und verwendete sie in den Klavierwerken *Catalogue d'Oiseaux* 1956–1958, *La fauvette des Jardins* 1970 und *Petites Esquisses d'Oiseaux* 1986, im *Jardin du sommeil d'amour* aus der Turangalîla-Sinfonie 1946–1948, im Orchesterwerk *Des Canyons aux Étoiles* 1971–1974 sowie in außergewöhnlich komplexer Form im sechsten Bild *Le Prêche aux Oiseaux* seiner Oper *Saint François d'Assise*. Er meinte: „Angesichts so vieler entgegengesetzter Schulen, überlebter Stile und sich widersprechender Schreibweisen gibt es keine humane Musik, die dem Verzweifelten Vertrauen einflößen könnte. Da greifen die Stimmen der unendlichen Natur ein." [81]

Bereits in seinen ersten Platten in den 1970ern verwendete der deutsche Musiker Georg Deuter (Sannyasin-Name Chaitanya Hari)

---

[80] Quelle: https://www.spiegel.de/spiegel/print/d-13499509.html (Stand: Sept. 2020)
[81] Quelle: https://de.wikipedia.org/wiki/Olivier_Messiaen (Stand: Sept., 2020)

Naturgeräusche und selbst aufgenommene Vogelstimmen in Kombination mit seinen melodiösen meditativen Kompositionen für Gitarren, Blockflöten, Sitar und gelegentlich perkussiven Instrumenten. Die dramatisch-expressiven Klänge zur Dynamischen Meditation (siehe Trance) Musik sind eher die Ausnahme. Deuter, geboren am 1. Februar 1945 in dem deutschen Städtchen Falkenhagen. lernte als Junge autodidaktisch Flöte und Gitarre, arbeitete zunächst als Grafik-Designer und Journalist in München. Ein fast tödlicher Autounfall und Einflüsse aus dem Sufismus brachten ihn zu einem neuen tieferen Musikverständnis. Im Ashram von Bhagwan Shree Rajneesh komponierte Deuter zwischen 1974 und 1980 die Musik zu verschiedenen Meditationen, die seitdem weltweit im therapeutisch-medizinischen Bereich eingesetzt werden. Inspiriert von indischer, chinesischer oder indianischer Musik und doch bis heute, nach 50 Jahren, immer unverkennbar Deuter: Er schreibt in einem CD-Booklet: „Bleibt die Musik nur im Bereich des Verstandes oder des Künstleregos, kann sie nicht wirklich tief gehen. Doch wird das gesamte Universum hineingelassen, dann werden die Menschen im Innersten berührt, emporgehoben."

Ich möchte im Folgenden einige von Deuters Produktionen kurz beschreiben. Alle erschienen beim Label Celestial Harmonies:

Land of Enchantment

Zehn Kompositionen von 1986 mit Andenmusik, stimmungs- und humorvollen Verbindungen von Naturaufnahmen und Instrumentalmusik (z.B. wenn die Bottleneck-Gitarre Delphine imitiert), mit feierlichen Chorklängen, die in Tabla-Rhythmen übergehen und den immer wieder berührenden Blockflötenmelodien mit der kristallklaren Gitarrenbegleitung. Stets neue Einfälle.
Aum

Nach der ersten Begegnung mit Bhagwan Shree Rajneesh in Bombay 1972 komponiert Deuter Meditationsmusik, nun mit Naturgeräuschen, indischen Instrumenten und vielen genialen Einfällen, die noch heute stark inspirieren.

Call of the Unknown (2 CD-Set.)

15 von Stephen Hill bearbeitete Aufnahmen aus der Poonazeit. Eine schöne Einführung in das umfassende, einzigartige Werk dieses großen Musikers.

Sands of Time (2-CD-Set.)
20 ausgewählte Studio- und Live-Konzertaufnahmen von 1974-1990. Neben den schönen älteren Kompositionen sind interessant: "Wings of Silence" aus: Videosoundtrack: "The Petrified Forest" (1989) und die 27 Min. lange Live-Synthesizer- und Flötenimprovisation "In the Woods". 71/73 min.

Weitere Aufnahmen, wo die Stimmen der Vögel das eigentliche Thema sind, habe ich bereits in Hörbild 1: Natur Pur vorgeschlagen. Walter Tilgners Produktionen halte ich für bisher unübertroffen.

Schlüssel des Lauschens

Wer den Lausch-Test mit Naturaufnahmen machen möchte, sollte sich zunächst auf einige Minuten beschränken. Ich würde mir selbst jedenfalls nicht die Aufgabe stellen, 40 oder 60 Minuten hellwach dem Zwitschern von Waldvögeln oder gar dem Geplätscher eines Gebirgsbaches zuzuhören. Das wäre eine Überforderung. Doch einige Minuten echten Lauschens wirken bereits Wunder. Diese 5 bis 10 Minuten sollten anfangs ritualisiert, zum Ritual des Lauschens erhoben werden.

Übung 1: Auf der Pirsch (zu Naturaufnahmen von Tilgner, Regenwald etc.)

Ich stelle mich aufrecht hin, mit leicht vorgebeugten Knien, schließe die Augen und versetze mich im Geist in die Welt der Geräusche, die ich wahrnehme. Ich stehe also zum Beispiel im Wald. Ich nehme die Haltung des Anpirschens und Lauschens ein. Ich beginne, die Geräusche zu orten. Aus welcher Richtung kommen sie? Wie weit mag ihre Quelle entfernt sein? Und schließlich: Was ist das für ein Raum, in dem die Stimmen und Geräusche auftauchen und verschwinden? Wo bin ich?

Übung 2: Der Naturforscher (Vogelstimmen, Delphine, Wale)

Ich sitze aufrecht mit geschlossenen Augen. Die Vorstellung, ich würde Signale und Botschaften von unbekannten Lebewesen empfangen, hält mich wach und konzentriert. Es ist, als würde jemand undeutlich sprechen, und ich möchte ihn besser verstehen, weil ich glaube, dass er etwas Wichtiges zu sagen hat. Andererseits warte ich geduldig, dass sich mir der Code erschließt; denn Anstrengungen, soviel ist mir klar, sind völlig unnütz. Entweder der Sinn enthüllt sich oder er bleibt verborgen. Es liegt nicht in meiner Hand. Doch in jedem Fall kann ich den Klang und die Atmosphäre genießen.

Übung 2a: Eine Variation - der musikalische Biologe.

Ich achte nicht nur auf den Klang, sondern auch auf den Zusammenhang der Stimmen. Gibt es da eine Beziehung? Gibt es so etwas wie
Zurufe, Fragen und Antworten? Gibt es Steigerungen, Pausen?

Übung 3: Energie tanken. (Wellenbrandung, Bachgeplätscher, Vögel,
eventuell dezente Musik dazu)

Ich sitze oder liege entspannt und versetze mich ohne Anstrengung o-
der Vorstellungskraft-(aufwand) an einen Strand, lasse mich von den
Geräuschen umspülen und tragen. Ich spüre die Frische und Reinheit
der Natur und lasse sie auch nach der Entspannungsphase noch nach-
wirken.

TEIL 4: HEILENDE GÖTTIN

„Mutter Erde, höre unser Lachen und Weinen.

Unsere Kräfte sollen sich vereinen,

wenn wir tanzen und singen."

Die Frauen haben ihre weißen Gewänder abgelegt und stehen nackend im Kreis. Eine hat die Funktion der Hohen Priesterin übernommen und leitet nun den rhythmisch markanten, mantrischen Gesang mit den Anrufungen der Göttin. Morgen wird die Priesterin wieder im Architekturbüro vor dem Computer sitzen. Ob ihre KollegInnen wissen, dass sie eine Hexe ist?

„Auf dem Tiefpunkt einer kulturellen Entwicklung, die uns in die Sackgasse eines wissenschaftlichen Materialismus, einer zerstörerisch wirkenden Technologie, des religiösen Nihilismus und der geistigen Verarmung geführt hat, ist ein äußerst erstaunliches Phänomen aufgetreten. In unserer Mitte erscheint ein neues Mythologem und will in unser modernes Bezugssystem integriert werden. Es ist der Mythos der uralten Göttin, die einst vor dem Aufkommen des Patriarchats und der patriarchalen Religionen über Erde und Himmel herrschte."

So beginnt der Arzt und Psychotherapeut Dr. Edward C. Whitmont seinen Klassiker: 'Die Rückkehr der Göttin. Von der Kraft des Weiblichen in Individuum und Gesellschaft'. Ein Buch, das bei seinem Erscheinen 1982 in den Staaten großes Aufsehen erregte. Vorträge, Seminare und Rituale für Frauen, die ihre innere Göttin wiederfinden und leben wollen, gehören heute fast schon zum Mainstream. Nehmen wir das Wiederentdecken von 'typisch weiblichen' Qualitäten wie Instinkt, Gefühl und Intuition hinzu, außerdem das Finden der Balance von Yin und Yang und die Suche nach einer erfüllten Sexualität (etwa durch Tantra), so scheint sich der Buchtitel vollauf zu bestätigen: Die Göttin ist tatsächlich zurückgekehrt - zumindest in den Workshops.

Wicca und Hexen

Im Wicca, laut Vivianne Crowley „die führende Religion der neuheidnischen Bewegung", ist die Rückwendung zum Matriarchat besonders ausgeprägt. In ihrem Buch: „Wicca. Die Alte Religion im Neuen Zeitalter" [82] beschreibt die eingeweihte Hexe und Jungianerin die geschichtlichen Wurzeln, Inhalte und Strukturen dieser Religion, die seit der Aufhebung des 'Witchcraft Act' 1951 in Großbritannien, Nordamerika, Australien, Neuseeland, aber auch in Holland und Deutschland Tausende von AnhängerInnen fand. Die erste Darstellung des modernen Wicca lieferte Gerald Gardners „Witchcraft Today" (1954). Gardner, selbst von einer weiblichen Hexe namens Dorothy Clutterbuck in den Wicca-Kult initiiert, weihte neue SchülerInnen ein. Die Gardnerischen Hexen bilden heute neben dem später von Alex und Maxine Sanders gegründeten alexandrischen Zweig den Hauptzweig des Wicca. Inhaltlich greift der Kult genau jene Aspekte auf, die von allen patriarchalischen Religionen und im besonderen Maße von der Kirche vehement 'verteufelt' wurden: Naturgeister, Sexualität und Magie.

Die Basisgruppen ('Coven') bestehen in der Regel aus dreizehn männlichen und weiblichen Hexen. Männer sind also keinesfalls ausgeschlossen, sondern haben durchaus auch leitende Funktion. Die Covens werden oft von einem Paar geleitet, das den dritten und höchsten Einweihungsgrad hat. (Es gibt allerdings feministische Richtungen wie der 'dianische' Zweig aus den USA, wo Männer unerwünscht sind). In den frühen matriarchalischen Kulturen stand der fruchtbaren Muttergöttin ein gehörnter Jagdgott zur Seite, der später, um 5000 v. Chr., zum phallischen Gott der Zeugung und schließlich auch zum

---

[82] Vivianne Crowley, Wicca. Die Alte Religion im Neuen Zeitalter Edition Anael, Bad Ischl 1993, Original: 'Wicca: The Old Religion in the New Age', Harper Collins, London 1989

Kriegsgott, zum Herrn über Leben und Tod, Licht und Finsternis wurde.

Viele Ideen des modernen Wicca gehen auf die Kelten zurück. Die vier größeren Feste Samhain (Halloween), Imbolc (Lichtmess), Beltane (Walpurgisnacht) und Lughnasath (Erntedankfest) sind vom keltischen Kalender abgeleitet und wie bei den Druiden finden die Rituale möglichst draußen in der Natur statt. Die Kelten hatten, obwohl sie von den patriarchalischen Indogermanen abstammten, die Verehrung der Göttin von einheimischen Stammeskulturen übernommen. Die Göttin galt auch als Patronin der Musik und Dichtkunst. Frauen standen in hohem Ansehen. Es gab Kriegerinnen, Königinnen und Richterinnen.

Aus dem Mittelmeerraum übernahm Wicca die Mysterienkulte um die ägyptische Göttin Isis und den griechischen Gott Dionysos. Auch die mystische Philosophie Plotins fand Eingang. Zu den Wicca-Eingeweihten gehören schließlich Okkultisten, Alchemisten, Magier und Psychologinnen wie Vivianne Crowley, Starhawk oder Margot Adler, Enkelin des Begründers der Individualpsychologie, Alfred Adler. (Ihr Buch: 'Drawing From The Moon' beschreibt die Wicca-Szene der USA und Kanadas). Sie alle gehen wie Plotin von einem Unbewussten aus, das zunehmend bewusst gemacht werden könne. So lasse sich ein spiritueller Pfad ausmachen, der schließlich, über viele Inkarnationen, zur bewussten Vereinigung mit dem göttlichen 'Einen' führe. Ähnliche Gedanken kamen von mittelalterlichen Ketzern und Ende des 19. Jahrhunderts - hinduistisch-buddhistisch - gefärbt, von Madame Blavatskis Theosophie.

Es gibt einige wenige Hinweise, dass sich das antike Hexentum trotz der radikalen Verfolgung bis zum heutigen Wicca durchhalten konnte. Der amerikanische Völkerkundler Charles Leland lernte 1886 in Florenz eine italienische Wahrsagerin und Hexe kennen, die ihn nach und nach in eine jahrtausendealte, heidnische Tradition einweihte, in der

131

Diana und deren Tochter Herodias zwei Aspekte der Göttin darstell-
ten. ('Aradia or The Gospel of the Witches') Der Covensgründer Robert Cochraine führt seine Hexenabstammung bis auf das Jahr 1734 zurück. Doch erst Anfang dieses Jahrhunderts wies Margaret Murray offiziell anhand umfangreichen Quellenmaterials nach, dass zumindest
ein großer Teil jener Frauen, die von der Kirche als Hexen verfolgt
wurden, tatsächlich die alte heidnische Religion praktiziert hatten und
als Märtyrerin für ihren Glauben gestorben waren.

Die Hexen waren seit der Antike Verfolgungen ausgesetzt, denn auch
dem Gott Apoll war das Dionysisch-Ausschweifende unheimlich. Im
Patriarchat wurden alle früheren Gottheiten des Matriarchats zu Böse-
wichtern und Dämonen umgedeutet. Aus dem gehörnten Gott (Dionysos, Pan) wurde der Teufel schlechthin. Die Kirche versuchte immer
wieder, das heidnische Brauchtum mit Erlassen und Verboten zu un-
terbinden, doch selbst Bischöfe wurden alter Sexualriten überführt.
Die Strafen fielen zunächst vergleichsweise mild aus. Die Minnezeit
und der Gralsmythos brachten sogar einen Schub weiblicher Energie.
Die Göttin erlebte ein kurzes Comeback: Als Jungfrau Maria, 'Edle
Frouwen' und weise Sophia. Der Minnegesang wurde als Kunstform
von adligen Frauen inspiriert und auch gelehrt. Die katholische Kirche
begann zu wackeln. Getreu dem Glaubenssatz, dass Gefahr nur vom
Bösen kommen könne, brandmarkte sie alle Kritiker und Andersgläu-
bige als 'Satansanbeter'. Ein vernichtender Gegenschlag wurde geplant
und mit allen Mitteln durchgezogen.

Mit dem 'Hexenhammer' ('Malleus Maleficarum' von Kramer und
Spengler, 1486) kam der grauenvolle, gezielt vorbereitete Umschlag.
Von zwei Dominikanern verfasst, terrorisierte die berüchtigte kirchli-
che Anleitung zur Vernichtung letzter matriarchalischer Lebensformen
200 Jahre ganz Europa. Es war das nach der Bibel meistgelesene Buch.
Hunderttausende von Frauen, die angeblich mit dem Teufel verkehr-
ten, hatten in der Folter zu gestehen und wurden - zur Reinigung ihrer
Seele - bei lebendigem Leibe verbrannt. Der Teufel war niemand

anderes als jener gehörnte und bocksbeinige Gott Dionysos (Pan), mit dem einst die Göttin ihre berauschenden Feste feierte. Die 'bösen Hexen' auf dem Scheiterhaufen hatten jedoch meist nur dasselbe praktiziert wie die Heilige Hildegard, nämlich Natur- und Kräuterheilkunde.

Jedes Dorf hatte weise Männer und Frauen, die einige (verwässerte) schamanische Praktiken beherrschten, heilen und beraten konnten. Zahlreiche Dokumente des 'Hexenarchivs' im Hamburger Völkerkundemuseum belegen, dass sich magische Praktiken in norddeutschen Dörfern bis heute ungebrochen durchgehalten haben. Es hatte auch immer lokale Verfolgungen gegeben, wenn die Hexen versagt oder sich sonst wie unbeliebt gemacht hatten. Doch erst die kirchliche, großangelegte Propaganda mobilisierte die Massen. Der Kampf richtete sich gegen heidnische Verehrung - die Göttin wird ja tatsächlich in der von ihr besessenen Person angebetet - und gegen magische Praktiken.

Die Wiederentdeckung und der praktische Einsatz magischer Fähigkeiten ist im Wicca zentral, letztlich gilt jedoch die Selbsterkenntnis als das eigentliche Ziel. „Alle Rituale, Opferhandlungen, Anrufungen, Gebete, Hymnen und Gesänge haben das gemeinsame Ziel, unsere Aufmerksamkeit auf den 'Weg nach oben und den Weg nach unten' zu lenken, auf Geburt und Tod, uns deren Bedeutung für unser Leben aufzuzeigen und uns das Wissen zu vermitteln, dass wir Teil eines größeren Ganzen sind." [83]

---

[83] V. Crowley, Wicca, op. cit. S. 13

Rituale

Was ist ein Ritual? Wir kennen Taufe, Trauung und Abendmahl. Auch wenn die Kirche das vielleicht anders sieht – es sind zu Sakramenten erhobene Rituale, die bis in die Urzeit des Menschen zurückreichen. Ein Ritual ist keine einmalige Spontanhandlung, sondern etwas Eingeübtes, selbst wenn einige Teilnehmer - wie das getaufte Baby oder das Paar vor dem Altar - einmalige „Nutznießer" des Rituals sind. Es gibt in jedem Fall jemanden, der aktiv am Ritual beteiligt ist und es eingeübt hat, und zwar auf größtmögliche Wirksamkeit bedacht.

Wir wollen mit einem Ritual etwas Bestimmtes erreichen. Es findet eine Beschwörung statt, körperlich, geistig, seelisch. Das Ritual fordert Aktion auf allen Ebenen. Auch das rituelle Hören einer „Göttin-Musik" ist aktiv – sogar beim entspannten Liegen. Und die so oft beschworene weibliche Empfänglichkeit ist gleichzeitig da. Eine Frau vereinigt diese scheinbaren Widersprüche „von selbst". Wenn hier von Hexen die Rede ist, sind Frauen gemeint, die ganz natürlich Magie mit Empfänglichkeit und Offenheit, mit Intuition verbinden.

Wer das rituelle Hören übt, wird bald merken: Selbst ein egoistisch erscheinender Gedanke braucht, soll er die beschwörende Kraft des Rituals erhalten, etwas mehr als die gewöhnliche Verstandesenergie. „Ich richte jetzt die wahrgenommenen Worte des Chants im Geiste wie Pfeile auf mein Ziel (ein Kind zu bekommen)"- das bleibt mit dem normalen Denken ein flüchtiger Wunsch. Es fehlt an ....ja, tatsächlich: es fehlt an Hingabe.

Rituale, die das verdrängte Weibliche in Erinnerung und in die Welt zurückbringen, sind nach Ansicht vieler Psycholog/Innen für unsere Gesellschaft lebenswichtig. Tiefenpsychologisch betrachtet soll das Ritual eine starke, emotionale Energie kanalisieren, abmildern, umsetzen und verfeinern. Sex und Aggression sind selbst bei Tieren ritualisiert. Beim Menschen haben sie eine kulturelle Vielfalt an Ritualen hervorgebracht, die zunehmend unterdrückende Funktion erhielt - vom direkten Kannibalismus bis zum Heiligen Abendmahl - vom Ritterturnier bis zum Sex-Kino.

Für die Rituale der Göttin sind die Zyklen der Natur maßgebend: Jahreszeiten, Mondphasen, Menstruationsperiode, Geburt und Tod. Die Göttin selbst erscheint als Dreifaltigkeit von Mädchen (zunehmender Mond; Entstehen), sexuell reifer, erwachsener, schöpferischer Frau (Vollmond, Wirken) und weiser, alter Frau (abnehmender Mond, Vergehen). Die Wiedergeburt geschieht wie in der Natur: Ein alter Körper stirbt, ein neuer wird geboren. Nach jedem Schwarzmond wächst die 'Mondin' wieder. Da kein Ich gedacht wird, das den Körper überleben könnte, sind Vorstellungen vom Jenseits noch vorbewusst. Das Leben ist immer jetzt, und ich bin darin aufgehoben.

Im Matriarchat waren Menschenopfer üblich. Inwieweit hier von einem bewussten, freiwilligen Opfer gesprochen werden kann, wer soll das heute noch entscheiden? Wichtiger ist die Frage: Müsste ein zeitgemäßes, 'modernes' Ritual, das für die Gemeinschaft wichtig und nötig sein soll, eine Opferung beinhalten? Sofern die Aufgabe von verhärteten Denk- und Verhaltensmustern gefordert ist, bestimmt. Wir brauchen keine körperlichen Opferungen, materielle vielleicht schon. Die Aufgabe des Benzinbetriebenen Autos z.B. könnte durch eine enorme Werbekampagne als Ritual inszeniert werden. Tantrische Rituale könnten die völlig verwirrte sexuelle Beziehung zwischen Mann und Frau aufribbeln und neu zusammenweben.

In den Mysterien Riten der Isis und in einer Wicca-Initiation (Erster Grad) beginnt das umfangreiche Ritual der Wiedergeburt mit der Entkleidung. Sie symbolisiert das Ablegen der 'Alltagspersona' (persona = Maske). Zur Vorbereitung gehört auch, dass der/die Einzuweihende mit dem Kopf nach Norden auf dem Rücken liegt und durch sprachliche Anleitung zum Ausgleich der Elemente geführt wird. (Z.B. Wasser: „Du treibst auf der Oberfläche eines dunklen Meeres...".

Solche rituellen inneren Reisen gibt es auf CD mit Musikuntermalung, s. Kapitel 'Reisen'). Nach einer rituellen Fesselung (Symbol des materiellen Gefangenseins vor der Initiation) und dem Verbinden der Augen (Symbol der Blindheit) beginnt die eigentliche Initiation mit der mittelalterlichen 'Bagahi-Rune'. Es folgt der Text der 'Offenbarung' und eine Invokation der Göttin. Der meist mit Kreide gezeichnete magische Kreis ist nun energetisch aufgeladen. Den Eingang versiegelt ein Besen (Symbol der Vereinigung von Mann und Frau, 'der Stab, der in den Busch eindringt').

Der Initiator ('Hüter der Schwelle') richtet die Spitze des rituellen Hexendolches 'Athame' auf das Herz des Kandidaten und stellt dessen Mut mit einer dramatischen Ansprache auf die Probe. Dem Neuling wurden zuvor zwei Passwörter anvertraut ('Vollkommene Liebe' und 'Vollkommenes Vertrauen'), die angesichts der aufkommenden Furcht ihre Kraft erweisen sollen. Schließlich erfordert eine spirituelle Neugeburt die Konfrontation mit sich selbst und mit dem 'Schatten', mit unbewussten Kräften, die das Alltagsbewusstsein verdrängt. (Im Tarot symbolisiert durch die Karte 'Der Mond').

Der männliche Initiant wird von seiner Patin in den Kreis gestoßen und dort von der einweihenden Hohen Priesterin aufgefangen. (bei

Frauen ist der Initiator der Hohe Priester.) Im Kreis gibt es „kein Innen und Außen, kein Mein und kein Dein, kein Gutes und kein Böses". Der Initiant wird den vier Himmelsrichtungen vorgestellt. Es sind Wesenheiten (die 'Wachtürme'), und er (sie) wird lernen, sich mit deren Kräften zu verbinden. Der Coven tanzt und singt die 'Hexen-Rune' um den Kreis herum. Im Westen (= Wasser und Tod) spricht der Priester von den Glaubensgrundsätzen. Das (durch Aleister Crowley berüchtigte) „Tue, was du willst" wird hier eingeschränkt durch „sofern es niemandem schadet." Der Initiant hat die acht magischen Waffen erhalten. Elfmal schlägt die Glocke im Rhythmus 3-1-3-1-3, (die drei Aspekte der Göttin sind eins). Der (die) Hohepriester(in) kniet vor dem Initiant nieder und küsst segnend die Füße, Knie, Geschlecht, Brust und Lippe. Eine demütige Geste der Achtung des ganzen Menschen.

Im weiteren Verlauf wird das Maß abgenommen (symbolisch für Leichentuch), werden vierzig (sanfte!) Peitschenhiebe und ein neuer Name erteilt, wird der zur Geheimhaltung verpflichtende Eid geleistet. Das Ritual endet mit der dreimaligen Segnung und dem Abnehmen der Augenbinde.

„Der Initiant hat nun das Mysterium der Göttin, eine Initiation der Geburt, erfahren. In der zweiten Initiation wird der Initiant das Mysterium des Gottes oder das Mysterium des Todes erfahren, und in der dritten das Mysterium der Hochzeit, jenen Punkt, an dem die Mysterien der Göttin und des Gottes vereint werden." (V. Crowley, Wicca, S. 81)

Magie

Als evolutionäre Phase liegt das Magische vor dem Rationalen, als Bewusstseinsschicht unterhalb. Es deckt sich zum Teil mit dem schamanischen Bewusstsein: Äußere und innere Welt sind *noch nicht* getrennt. Die personifizierten Naturkräfte werden durch Opfer gnädig gestimmt oder sonst wie magisch beeinflusst. Alle Wesen fügen sich organisch dem Kreislauf des Lebens. Der Archetyp des Helden, der als Individuum gegen sein Schicksal ankämpft, tritt erst in der nächsten, der 'mythischen' Phase in Erscheinung.[84] Ein Beschwörungsritual dient immer dem Wohl einer Gemeinschaft, nicht persönlichem Machtgewinn.

Denke ich ständig daran, wie ich meinen Nebenbuhler in eine peinliche Lage manövriere, dann imitiert der Verstand ein magisches Ritual. Denn die Gedanken liefern ein Bild, eine Szene, und die wiederum wird zum magischen Objekt - wie eine Voodoo-Puppe. Sie inszeniert das erwünschte Ereignis. Das selbstsüchtige Motiv zieht ein solches Ritual auf die Ebene der Zauberei herab, und die Unbewusstheit oder Unaufmerksamkeit lässt die Mantren in mechanischen, kraftlosen 'Trance-Loops' leerlaufen. Doch die Struktur kommt aus dem magischen Bewusstsein. Fasste ich die Gedanken zu einer allgemeinen und positiven Formel, die ich dann gezielt und im festen Glauben an die Wirkung denken, sprechen oder singen würde, dann wäre ich ein Magier, eine Magierin.

Die weibliche Form 'Magierin' klingt allerdings schief. Tatsächlich gehört der Archetyp des Magiers in die patriarchale Welt - in einer Reihe mit dem Herrscher, Hohenpriester und Eremiten. Verständlicherweise wollen sich die Gesänge der heutigen SchamanInnen und Hexen nicht

---

[84] Vgl. Jean Gebser, Ursprung und Gegenwart, Bd. 1

auf das Patriarchat beziehen. Doch diese Schicht ist nun einmal da, und so mischen sich archaische, magische und mythische Formen. Das indische Mantra, Powerinstrument einer patriarchalen Religion, verbindet sich mit schamanischen Trancerhythmen und indianischen Medizinfrauen-Chants, dazu werden positive Affirmationen zum Weltfrieden intoniert oder Engel visualisiert. Das alles hat, obwohl es ernst gemeint ist, immer auch einen rationalen und spielerischen Charakter, vergleichbar dem Psychodrama.

Tanz und Musik sind ursprünglich magische Rituale. Die JägerInnen nahmen dadurch Kontakt mit ihrem Totemtier auf, das die Erlaubnis zur Jagd geben sollte. Später wurden daraus Fruchtbarkeitsriten, die heute als Gruppensex Schlagzeigen machen würden. Im Wicca laden sich die TänzerInnen im 'Spiraltanz' mit Energie auf. Die sieben Chakren werden aktiviert. Über diese Energiezentren definiert Vivianne Crowley auch die magischen Aspekte. Zum Beispiel sollen Worte aus der Hexenrune beim Chanten über das Kehlkopf Chakra mit Energie aufgeladen und visualisiert werden.

„Diese Art des Intonierens von magischen Texten wird als 'Erschaffen' bezeichnet, wobei durch die aufgeladenen Worte und Visualisationen das, was wir sprechen, ins Dasein gerufen werden soll, so wie im jüdischen Schöpfungsmythos Gott die Worte 'Es werde Licht" sprach." (Crowley, op. cit. S. 123)

„Dunkle Nacht und heller Mondenschein

So solls in den vier Winden sein

Die alle auf die Hexenrune hören

Hier kommen wir, dich zu beschwören (...)

Eko, Eko Azarak

Eko, Eko Zamilak

Eko, Eko Cernunnos

Eko, Eko Aradia." 85

---

85 Anfang und Ende der 'Hexenrune', Crowley, op. cit., S. 122

Weibliche Sexualität und Tantra

„Als ich merkte, dass der Mann mich immer noch floh in meiner frau-
lichen, sexuellen Natur, als er merkte, dass er mich weder besitzen
konnte noch mir einfach entfliehen, da entstand der Geist der Rache, in
ihm und in mir. Ganze Kulturen gingen auf und zerbrachen unter
größten Grausamkeiten an dieser nie zu Ende geführten Geburt, der
Geburt der sexuellen Liebe zwischen Mann und Frau. Ich bin SEX pur.
Ich lebe weniger in der Phantasie als in der zellulären Unmittelbarkeit.
Ich weiß, dass alles andere Verschleierungen und Tarnungen sind, die
aus der Geschichte kommen. Und ich lasse es nicht mehr zu, dass ich
damit identifiziert werde. Mein Leib ist es, der nach dieser Erlösung
ruft, dass der Mann mich erkennt in meiner wahren Natur...Ich trete
wieder ein in das Wissen, dass ich für ihn Mutter, Heilige, Hure und
Geliebte bin. Und ich wähle diese Rollen, ohne ihn dabei an irgendeine
Person binden zu wollen"

So lässt die Theologin und Friedensforscherin Sabine Lichtenfels die
Göttin zum Thema weibliche Sexualität sprechen. [86]

Kaum ein anderes Thema ist so brisant, aktuell und grundlegend wie
das der körperlichen Liebe zwischen Mann und Frau. Schließlich unterscheiden sich die Geschlechter nicht graduell, sondern kategorial.
Jedes der beiden Geschlechter - jede Frau und jeder Mann - steht vor
der Aufgabe, seine spezifische Sexualität mit der des Gegenpoles zu

---

[86] Sabine Lichtenfels: 'Weiche Macht. Perspektiven eines neuen Frauenbewusstseins und einer neuen Liebe zu den Männern.' Verlag Berghoff and friends, S. 137 ff.

verbinden, ohne sie zu unterdrücken oder zu manipulieren. Bevor es hier (wieder) zu einem 'natürlichen' oder 'göttlichen' Fluss und Austausch der sexuellen Energie kommen kann, gilt es, tiefeinprogrammierte Gedanken-, Gefühls- und Verhaltensmuster zu durchschauen.

'Kampf der Geschlechter', 'Fit durch besseren Sex', 'So finden Sie Ihren Lover', 'Kissenschlacht fördert Orgasmus'- die Trend- und Frauenmagazine beweisen: Sex ist kein Tabuthema mehr. Doch wie man/frau damit praktisch umgehen soll, darüber scheint allgemeine Verwirrung zu herrschen. Die 'sexuelle Revolution' schien zunächst eine gewisse Befreiung zu bringen. Sex wurde öffentlich, Schuldkomplexe kamen ans Licht, Dogmen wie die von der Erbsünde und der teuflischen Schlange konnten hinterfragt werden. Doch Jahrhunderte oder gar Jahrtausende der Verdammung sind nicht so einfach zu löschen. Sexuelle Perversionen und Obsessionen - oft ausdrücklich im Namen Satans - sorgen immer wieder für Schlagzeilen. Und überhaupt: Die öffentliche Meinung wird nach wie vor von Männern gemacht. Die Folge: Eine Flut von Pornografie und sexuellen Darstellungen, wo die Frau als 'Objekt der Begierde' erscheint.

„Ich bin von Kopf bis Fuß auf Liebe eingestellt" singt Marlene Dietrich als Prostituierte im 'Blauen Engel' und dient damit einem faulen Mythos, der vermutlich schon zur Zeit der indischen oder babylonischen Tempelhuren vor 3000 Jahren ein reges Treiben inszenierte und heute alle nur möglichen Phantasmen beschwört. Männermordender Vamp, nymphomanisches Tier, sadistische Herrin (Domina), oder einfach nur normale Schülerin, Hausfrau oder gar keusche Nonne, die in Wirklichkeit doch nur das 'Eine' will, nämlich Sex ohne Ende.

In der 'spirituellen Szene' sieht die Sache etwas subtiler aus. Themen wie 'Das Tao der Liebe' oder 'Tantrische Ekstase' (die in verwässerter Form auch schon in den Massenmedien ziehen) signalisieren eine Rückbesinnung auf östliche Traditionen. Taoismus und Tantrismus erforschten die Sexualität bereits vor 2000 Jahren ohne jede

Gefühlsromantik oder psychologisierenden Problemansatz, - wissenschaftlich exakt, pragmatisch und zugleich lebensbejahend. Beide Systeme gehen in ausgefeilte Details und sind zugleich auf grundsätzliche Prinzipien ausgerichtet: das fernöstliche orientiert sich stärker an einer gesunden Lebensweise in Übereinstimmung mit der Natur, das Indische stärker am Ziel des Yoga - der Vereinigung mit dem göttlichen Selbst oder Allbewusstsein. Sinnliche Ekstase beruht nicht zuletzt auf der Kunst der Langsamkeit, d.h. hier: Selbstbeherrschung und besondere Wachheit. Darauf gehe ich in meinem Buch „Der Sechste Tibeter" ein.[87]

Das Sanskritwort 'Tantra' hat viele Bedeutungen. Eine davon ist „Gewebe". Mann und Frau erfahren (besonders in der sexuellen Vereinigung) das Leben als ein Gewebe von Gegensätzen und zugleich als Einheit. Der gelebte Augenblick umfasst alles. Bewertungen wie gut oder schlecht verschwinden. Das ist nur möglich, wenn ich als urteilende Person gleich mit verschwinde. In diesem Sinne gilt Tantra im (tibetischen) Buddhismus als die höchste Weisheit.

Es gäbe hier noch sehr viel zu sagen, doch der Fokus soll in diesem ersten Band von „Leben wie Musik" auf der Verbindung von Musik, Natur und Körper liegen. Welche Art von Musik zum Liebemachen besonders geeignet ist wird im 2. Band thematisiert.

---

[87] Vgl. Christian Salvesen, Der Sechste Tibeter®. Das Geheimnis erfüllter Sexualität. Überarbeitete Neuauflage. Bod, Norderstedt, 2018, besonders Kap. 6 und Kap. 8

Musik der Göttin

Das historisch jüngste Matriarchat, die minoische Kultur auf Kreta (bis ca. 1400 v. Chr.) hatte eine ausdrucksreiche, lebensfrohe Kunst und Kultur erblühen lassen. Die Wandmalereien im Palast von Knossos geben davon ein anschauliches Zeugnis. Frauen und Männer feiern gemeinsam mit Tanz, Musik und womöglich gar den schnatternden und pfeifenden Delphinen, die dann erst wieder im New Age zu Ehren kommen sollen (In den heute noch existierenden, zum Teil matriarchalischen Stammeskulturen waren sie, wie alle anderen Lebewesen, immer hochgeachtet.). Wie die Musik der MinoerInnen auch geklungen haben mag - es waren Gesänge, Flöten, Leiern und Trommeln im Spiel.

Im Patriarchat hatten die Frauen das Singen und Musizieren zu unterlassen oder nur in zensierter Form auszuführen. 'Frau Musica, oh holde Kunst' - die so in Renaissance-Liedern Besungene war längst in der Hand der Männer - vor allem, wenn sie Gott dem Herrn dienen sollte. Schon Paulus war gegen Frauengesang in der Gemeinschaft der Kirche. In Indien und China finden wir ähnliche Ausgrenzungen. Ausnahmen wie Hildegard von Bingen oder einige frühchristliche Gesänge orientalischer Kirchen (Vox: X-Chants, Erdenklang) demonstrieren dafür umso kraftvoller, wie innig Frau und Musik verbunden sind. Hat Musik nicht in sich eine starke 'Weiblichkeit'? Das Fließende überwiegt das Abgehackte (nicht von ungefähr entwickelt Richard Wagner seine 'Unendliche Melodie' in 'Isoldes Liebestod' zum Jenseits romantischer Sehnsucht hin). Singen wiederum bietet dem Gefühl mehr Raum als Sprechen, und Hören ist laut J. E. Berendt aufnehmender, weiblicher und spiritueller als Sehen.

Andererseits galt doch die schön-geschwungene und komplizierte Linie des Gregorianischen Gesanges als Mittel der patriarchalen Kirche, das heidnische Treiben - offensichtlich archaische Hexengesänge und

Trance-Trommeltänze - zu übertönen und zur Strecke zu bringen. War Hildegard dann nicht eine Kollaborateurin? Die Gesänge der Hexen zu Ehren der Göttin waren wild und unkultiviert. Nicht schwer zu singen, dafür aber gefährlich und daher existentiell. Derweil ließen sich Männer kastrieren, um mit hoher Stimme künstliche Weiblichkeit vorzuführen und dafür auf der Bühne als Star gefeiert zu werden.

Doch fragen wir konkret: Wie sollte eine typisch weibliche Musik heute klingen? Ist sie ausschließlich von Frauen für Frauen gemacht? Das lässt sich wohl am besten mit jenen Beispielen beantworten, wo Frauen sich selbst im Archetyp der Göttin thematisieren.

Weiche Chöre: 'Ancient Mother'

Sanft laufen die Meereswellen auf dem weiten Sandstrand aus, der Wind trägt die Klänge einer keltischen Harfe aus der Ferne herüber - das Geflüster von menschlichen Stimmen schwillt zu einem rhythmischen Chanten. Namen wie Ishtar, Cerredwin, Hecate, Inanna beschwören die Göttin alter Zeiten und Kulturen. Zur magischen Formel auf einem gleichbleibenden Ton kommen melodische Bögen von weiteren Frauenstimmen dazu: „Ancient Mother, I hear you calling." Ein vielstimmiger, harmonisch fließender Gesang hat sich entwickelt, hineingewoben in das Rauschen der Brandung und die wehenden Harfenklänge. Der Rhythmus wird von dezenten Trommelschlägen verstärkt. So wie es begann verklingt dieses erste Stück von Robert Gass' CD *'Ancient Mother'*.

Anschließend besingt die Inderin Kalpana Mazumder in kunstvollen Ragalinien die Göttin Kali. Nurudafina Pili Abena, Meisterin heiliger Trommeltradition aus Afrika, führt mit Gesang und Kongas einen Gebetstanz zu Ehren der Yoruba-Göttin Yemaya auf, der Chor 'Wings of Songs' antwortet. Es folgen eine hawaiianische Hula-Invokation und

Noirin Ni Riains gälisches Sololied, in dem sich die keltische und die christliche Idee der Jungfrau vermischen. Danach indianischer Gesang, aufgenommen in einer unterirdischen Schamanenhöhle, und geschwungene gregorianische Linien der Hildegard von Bingen. Eine moderne Psalmenvertonung: *„Sie* weidet mich auf einer grünen Aue" und ein schwungvoller Wicca-Gospel runden das musikalische Bild der New Age Göttin ab. Was wohl die 27.000 Jahre alte, auf dem Cover abgebildete 'Große Göttin von Willendorf' dazu sagen würde! Im Unterschied zu kritischen Musikwissenschaftlern wäre es ihr wahrscheinlich zu kultiviert.

'*Ancient Mother*' umreißt die musikalisch-stilistischen und kulturellen Merkmale eines weitgefassten Bildes der Göttin. Trommelrhythmen und Originalgesänge aus noch lebendigen Stammestraditionen stellen den Ethno- oder World Music-Anteil. Mantren und indischer Sologesang repräsentieren wie die kirchlichen Gesänge eher die patriarchalische Hochreligion, werden aber durch die Frauenstimme und das Thema (Kali, Jungfrau Maria) ins Weibliche gewendet. Inhaltlich-programmatisch ist das sehr deutlich bei der Psalmentextdeutung, die Gott zur Frau macht. Stilistisch bewegen wir uns zwischen World, Klassik und New Age. Die modernen Hexen (der 'Wicca'-Bewegung) swingen hier im Gospelgrove. Die Gefahr, erwischt und verbrannt zu werden, ist vorbei, der Grundton lebensfroh-verspielt. 'Einig sind wir stark' - das Gospelgruppengefühl.

Der sanfte Chorsound lässt den wilden, aggressiven Teil der Göttin nicht so recht hochkommen. Die meisten New Age MusikerInnen stellen sich selbst eher als eine kreative, schöne, lichtvolle und weise Göttin vor, bis zu einem anständigen Grad auch als sinnlich-erotisch, aber sicher nicht als wütend, kompromisslos oder unberechenbar. Das ist auch in einer Musik, die sich im Bereich New Age verkaufen soll, schwer darzustellen. Hier wäre auf Frank Natales Trancetanz oder Gawains 'Kali-Meditation' (Imitation der 'Dynamischen Meditation' von Bhagwan/Osho) zu verweisen. Dort können Männer und Frauen ihre

Aggressionen austoben. Das ist praktischer, als sich eine Musik anzu-
hören, welche die Zerstörungskraft der Kali auf ästhetischer Ebene wi-
derspiegelt.

'Das Neue Frauen-Liederbuch'

orientiert sich an einem Bedürfnis: Viele Frauen hätten sich das Singen
wegen der ständigen „Herrgottexte" abgewöhnt und würden auf Festen und Tagungen lieber tanzen und trommeln, meint die Herausgebe-
rin Ursula Jung, (geb. 1934, Initiatorin von Frauenkirche e.V.) „Und
doch kenne ich viele Frauen, die sich den Spaß am Singen nicht nehmen lassen. Einige haben über östliche Meditationstechniken oder eine
Therapie die Möglichkeiten ihrer Stimme neu entdeckt. Sie haben erfahren, dass Gesang Leib, Seele und Geist verbinden kann und die Gemeinschaft fördert. Immer mehr Frauen feiern Jahreszeiten-Rituale, die
ohne meditative Rundgesänge arm wären. In Ritualen des Wicca-Kul-
tes konzentriert ein improvisierter Klangteppich die Kraft im Kreis,
das 'Chanten' reinigt die Chakren. Es wird also wieder gesungen in
der spirituellen Frauenbewegung, auch in der Frauenkirche, die mein
Ort zum Kraftschöpfen ist, mein Brunnen, der zur Frau Holle führt,
zur Göttin der Tiefe und der Weisheit. Hier können wir sie mit ihren
1000 Namen anrufen und verehren, hier habe ich die Lieder dieser
Sammlung ausprobiert. Für die Gottesdienste der offiziellen Kirche
sind sie nicht gedacht, denn die schließen 'im Namen des Vaters und
des Sohnes und des Heiligen Geistes' alle weiblichen Symbole für das
Göttliche aus."[88]

---

[88] Ursula Jung, *Das Neue Frauen-Liederbuch'*, Kreuz Verlag, München 1993,
Einleitung

Die Sammlung von 100 Frauen-Liedern der 'feministischen Spiritualität aus Europa und den USA' unterscheidet sich von den traditionellen Jahreskreis-Singe-Büchern der Kirche ('z.B. 'Gesellige Zeit'), hauptsächlich dadurch, dass die Zyklen und entsprechenden Feste im Sinne der 'Göttin' interpretiert werden. Die christliche (Oster-) Liturgie (vereinfachte Hildegardlinien) reduziert sich auf Marienverehrung. Das Adventslied „Es kommt ein Schiff geladen" bringt nun „Hulda voller Gnaden" - also die Ankunft der germanischen Göttin. Zu „Es tönen die Lieder" (wo bekanntlich ein Hirte auf seiner Schalmei spielt) merkt Frau Jung an „Ich habe den Hirten absichtlich nicht in eine Hirtin verwandelt, denn die Göttin hat einen Heros. Ihr könnt es aber tun."
(Jung, S. 43) Aus der Schule oder einem (evangelischen) Jugendkreis kennt jeder den Kanon „Hejo, spann den Wagen an." Daraus wird: „Gäa, Erdenkraft, komm! Sternenfeuer, lodert in uns! Hexen tanzen wieder, Hexen fliegen wieder." Volkslieder, die Martin Luther, den nationalen Wartburg-Studenten, den Wandervögeln und 'Linken' der 20er und den Atomkraftgegnern der 70er als Vehikel ihres Protestes dienten, sollen nun die Hexen der 90er Jahre zu ihren ureigensten Wurzeln führen. „Ringel, Ringel, Reihe": Ein Kinderlied vom heiligen Holunder, das etwas von der Göttin-Religion überliefere. Viele Lieder kommen aus außereuropäischen Kulturen und haben ein archaisch-schamanisches Flair, andere sind von zeitgenössischen MusikerInnen aus der Wicca-Bewegung.

Dass die Melodien so vertraut und einfach sind, ist sehr praktisch. Sie können unmittelbar - ohne viel Üben oder musikalische Schulung - gemeinsam gesungen werden. Das kann spontan geschehen, als Ausdruck einer gerade empfundenen Freude oder Trauer, oder aber um ein Gemeinschaftsgefühl zu erzeugen und zu inszenieren. Die Blüte weiblichen Ausdrucks sind Melodien wie die von „Hejo, spann' den Wagen an" sicher nicht. Doch was hat die Göttin mit Kunst zu tun? Die ganze Kultur ist doch ohnehin vom männlichen Ego-Wahn korrumpiert. Wer kanns am Besten! Wer ist der Originellste, Erfolgreichste, Spirituellste? Falls Frauen dem nacheifern, sind sie 'mannipuliert'. Zugleich wissen Frauen wie Männer, dass Schönheit und individuelle Ausdruckskraft ja gerade in der spontanen, nicht auf äußere Wirkung bedachten Schöpfung erscheinen. Käme demnach ein mit Herz und Anmut gesungenes altes Lied der weiblichen Vorstellung von Schönheit und Kunst näher als eine angestrengt klingende Opernarie oder eine avantgardistische Performance?

Ein Ritual kennt ursprünglich keine Zuschauer, also auch keine Bewunderer oder Kritiker. Alle sind beteiligt. Sicher können die Lieder auch beim bloßen Zuhören inspirieren, aber die volle Wirkung entfaltet sich erst im Mitsingen und Tanzen. Individueller Ausdruck und Kunstgenuss stehen im Hintergrund, die Erfahrung von Gemeinschaft hat Vorrang. So werden die verschiedenen Platten mit den meist leicht zu erlernenden Liedern und Chants auch vorzugsweise bei Workshops zum Mitsingen und Tanzen gespielt.

Gemeinsames (freiwilliges!) Singen ist kreativ in sich. Das magische Ritual will aber darüber hinaus noch etwas in der Zukunft bewirken. Dieser Aspekt kommt bei den gesungenen Gebeten und Anrufungen ins Spiel. Im Wicca wird die Göttin durch Invokationen in einen realen Körper, etwa den der Hohen Priesterin, herabgeholt. Im Unterschied zur Besessenheit in der Trance behalten die singenden Frauen dabei jedoch ihr Bewusstsein. Die archaische Struktur der Gesänge erinnert zwar an den Schamanismus. Doch die Inhalte haben bereits den Geist des Rationalen und Zukunftsorientierten, so wie ja auch der Schamanismus im Sinne von Harner und Uccusics rational in den Alltag eingebettet ist.

Sophia

Je stärker sich Wicca als Religion oder Göttin-Kult mit allgemeinem Gedankengut des New Age vermischt, desto lockerer und künstlerisch vielfältiger ist meist der musikalische Ausdruck. Eine Sängerin wie **Sophia** möchte die Göttin nicht nur im rituellen Kreis der Frauen anbeten, denn dort würde ihr Gesang in der Gruppe aufgehen. Sie stellt sich selbst dar, als reife, attraktive Frau, die von der weiblichen Kraft der Göttin auf individuelle Weise inspiriert ist. Während eines zweijährigen Intensivkurses mit **Gabrielle Roth** im Esalen-Institut erinnert sich Sophia, wie ihr früheres Leben in einem deutschen KZ endete. Bald darauf, nämlich 1946, wird sie in Philadelphia wiedergeboren als Sande Hershman - mit einem starken Wunsch nach Sinnfindung. Der zeigt sich zunächst im Nacheifern von Idolen wie Joan Baez. Protestsongs und Balladen zur Gitarre, „um Menschen Kraft zu geben." Nach ihrer Hippiezeit befasst sie sich zunehmend mit Schamanismus und Tantra, der Göttin und der „weiblichen Energie, die in unserer Zeit so nötig ist." Bekannte MusikerInnen wie **Constance Demby**, **Raphael**, **Jai Uttal**, **Terri Sternberg** oder der Obertonsänger und Buchautor **Jonathan Goldman** sind seit zwanzig Jahren ihre treuen Weggefährten. Mit ihrer ausgebildeten, kraftvollen und durchaus erotischen Stimme und engagierten Spiritualität zählt Sophia in den 80ern und 90ern zur ersten Riege des amerikanischen New Age.

Nach '*Hidden Waters*' und '*Journeys into Love*' bringt ihr drittes Album '*Return*' schon im Titel das Thema auf den Punkt - die Rückkehr der Göttin in ihren verschiedenen Aspekten: Shekhinah, Shakti, Gaia. Virtuose Geigen im Ragastil und Raphaels Keyboardharmonien untermalen die z.T. erotische Stimmung, afrikanische und indianische Trommeln, Tablas und Caxixi sorgen für Schwung und Erdung. Die

Compilation *'Emergence'* führt eindrucksvoll die ganze Bandbreite einer New-Age-Sängerin vor, die von Steven Halpern als „legendär" bezeichnet wird. Balladen wie „Street Singer" knüpfen im Charakter an klassische Songs wie „Killing Me Softly" an, mit jazzigen Saxophonlinien von Dallas Smith. „Prayer For The Warriors" soll über ein powervolles Sanskrit-Mantra und Oberton-Gesang in die Stille leiten, andere mehrstimmige Lieder verbinden Gospel und indianischen Schamanismus

Cecilia

Die norwegische Sopranistin **Cecilia** ließ sich 1994, bereits als junge Opernsängerin recht erfolgreich, von **Stuart Wilde** für den New-Age-Musikmarkt entdecken. Wilde konnte sich dank etlicher Bestseller zu Themen wie spiritueller und materieller Reichtum, Willenskraft des Kriegers etc. bereits ein Privatjet leisten und baute Cecilia mit dem Album *'Voice of the Feminine Spirit'*. *(nach einem Jahr 60.000 verkauft)* zur Identifikationsfigur auf. Außer zart-romantischen Stimmungen (von Edvard Grieg bis zu Mike Rowlands "Silver Wings") verströmt Cecilia auch schamanische Power: "Run, Daughter, Run" drängt der männliche Background-Chor, zu dem auch Flötist **Tim Wheater** gehört. Er zeichnet für das musikalische Konzept verantwortlich. In einer eigenen Produktion mit Cecilia inszenierte er 1996 eine New-Age-Oper nach Wagnerschem Vorbild: 'Heart Land' (Almo). Kriegerheld Tim im Kreise der Hohenpriesterinnen. In beiden Produktionen schrieb Stuart Wilde die esoterisch ausgerichteten Liedtexte. Wie in der Popkultur werden Stars als Vorbilder angeboten, wie in den Opern Richard Wagners soll ihre Persönlichkeit zugleich auch hinter dem Archetyp - hier die Göttin oder der Kriegerheld - zurücktreten. Der Unterschied zum rein schamanischen oder Wicca-Gesang ist deutlich.

Enya und die Keltinnen

Die berühmte **Enya** verschrieb sich mit ihrem Debütalbum *'The Celts'* einem Programm, das in seiner Mischung aus keltischer Göttin, Feenwelt und irischer Folklore die Charts eroberte. Die Künstlerin lehnt zwar die Kategorie 'New Age' für sich ab, darf aber als Ikone einer esoterisch verträumten Popmusik gelten. Weiche, verhallte chorische Stimmen und prägnante Melodien sind ihr musikalisches Markenzeichen geblieben. Nach *'Shepherd Moons'* und *'Watermark'*. präsentiert sich Enya auf *'The Memory of Trees'* in blauer Robe auf dem Thron der Priesterin (Coverbild), besorgt um das Wohlergehen der Bäume, die den Kelten heilig waren.

Auf die keltische Tradition bezieht sich eine kaum überschaubare Fülle von Musik. SängerInnen wie **Loreena Mc Kennitt** oder **Mary Black** betonen stärker die Folklore, ebenso die Gruppen **Capercaille** und **Clannad** mit ihren betörenden mehrstimmigen Vokalsätzen. Die Fiddlevirtuosin **Maire Breatnach** lässt den keltischen Helden Bran seiner Traumfrau folgen, und das Vokalensemble **Anuna** forscht den frühen Gesängen Irlands nach. „Its Your Life" ermahnte **Sinead O'Connor** verblüffte MTV-Fans mit ihrem Hit. Auf *'Universal Mother'* findet die erfolgreiche irische Sängerin erneut einen eigenen, unverwechselbaren Ausdruck. Stichworte: Mutterliebe, Auflehnung, „Bin ich menschlich?" (Wer bin ich?) oder „There is only love in this world". Vom modernen Beat zum schlicht-ergreifenden a capella Gospel ein musikalisch genialer Bogen mit viel Stille. „Dein Körper ist aus Holz und Stein, und Dein Herz ist mein Herz", besingt **Carolyn Hillyer** auf *'Heron Valley'* Mutter Erde. Ihre sanfte, dunkle Stimme schwingt im fast leeren Raum, nur das Pochen einer Schamanentrommel und das mehrstimmige Echo des Gesanges sind zu hören. Später kommen indianische Flöte, Dudelsack, Harfe dazu und die Sängerin wird zur lyrisch-dramatischen Sprecherin, doch insgesamt bleibt die Landschaftsbeschreibung auf wenige Merkmale verdichtet: Was zunächst nach einem schamanischen Ritual klingt, erweist sich (im Booklet) als musikalische Widmung an das heimatliche Dartmoor. Am deutlichsten thematisiert wird der Mythos der Göttin wohl in **Grayhawks** *'Blissful Magic - Spiral of the Celtic Mysteries.'*. Die Sologesänge und Chöre der Priesterinnen und Druiden (es singt der 'Bardic Mystery Choir') mischen sich mit klassischem Orchester ('Isle of Avalon Orchestra') und Schamanentrommel.

Gesangstherapie der Isis

Die eigene Kreativität und Intuition über spontanes Singen und Musizieren zu entdecken ist sicher ein Aspekt der 'Neuen Weiblichkeit'. Künstlerischer Anspruch und Können werden dabei unterschiedlich hoch angesetzt. Gesangstars wie die Inderin **Sheila Chandra** geben sich virtuos, andere bleiben auf dem Niveau eines Workshops für musikalische Laien. Schon das Konzept zeigt bei Chandra's *'ABone, Drone, Cone'*, dem dritten Album ihrer Trilogie für das Real World Label, wenig pädagogisches oder therapeutisches Interesse. Allerdings möchte sie 'den Hörer in jene Stille führen, aus der heraus der Gesang entsteht' (symbolisiert durch 'Crone', die Schöpfungskrone). Dabei hält Sheila (gleichsam musikwissenschaftlich und Yoga-mäßig forschend) ein 'Vergrößerungsglas' über die mikroskopische Struktur des 'Drone', jenes obertonreichen Grundklanges, der für die indische Tambura typisch ist. 'Bone' (Knochen) steht hier für die dichte Substanz, vielleicht auch für künstlerisches Rückgrat.

Mit ihren einfachen, spontanen und in hallenden Kirchen ('Kraftorten') aufgenommenen Sologesängen macht **Nhanda Devi** auf *'Chants of Isis'* Mut, selbst zu singen. Sie erfuhr als 24-Jährige in einer Meditation, wie 'es' plötzlich durch sie sang. In Workshops leitet sie dazu an, die eigene Stimme zu entdecken und dieses Gefühl des 'Es (oder die Göttin) singt durch mich, tanzt durch mich' zu erfahren. Derartige Erfahrungen sollte 'man' nicht voreilig als Hysterie oder Channeling-

Gehabe abtun, denn in den östlichen Traditionen gilt diese Form göttlicher Besessenheit als große Gnade. Eine der Heiligen Indiens, Meera, soll singend und tanzend (und nackt) durch die Lande gezogen sein - sicher kein Konzert im Sinne westlichen oder auch klassisch-indischen Kunstverständnisses. Die Energie oder Bewusstheit erreicht jenen Punkt, wo das 'kleine, persönliche Ich' die (Pseudo-)Verantwortung abgibt und die Sängerin oder der Sänger zum Instrument wird. Nach Auffassung des indischen Vedanta sind wir ohnehin nur Instrumente in der Hand des Einen. Wird einem das bewusst, dann kann die wahre Schöpferkraft auch bewusst zum Ausdruck kommen.

Nhanda Devis Soloimprovisationen beziehen sich auf die Göttin Isis. Die Worte entstammen der Phantasie (oder Intuition?), jedenfalls nicht dem Studium ägyptischer Schriftrollen. Gegenüber Chandras 'Krone', die das 'Ungeteilte Eine' der Veden repräsentiert, bedeutet 'Isis' eine gewisse Einengung. Die Göttin als kreative Heilerin, das greift zwar tiefer als das Image 'Sexy Hausfrau', aber es bedeutet doch immer noch eine Identifikation. Jemand singt. Aber wer? Zum Hören empfehle ich, innerlich mitzusingen und 'intuitiv' den Verlauf vorauszuhören.

Stärker klangtherapeutisch und künstlerisch abgesichert als Nhanda Devi arbeiten die Amerikanerin **Chloe Goodchild** und die deutsche Sängerin und Therapeutin **Brigitte Foerg**, Auf *Devi* singt Chloe in mehrstimmigen Improvisationen Chants aus verschiedenen Kulturen: Eine Invokation der Göttlichen Mutter ('Devi'), ein Kyrie, ein indisches 'Kirtan' von ihrer spirituellen Lehrerin Ananda Mayi, ein Ave Maria, ein armenisches Lied mit Saxophonbegleitung und das berühmte buddhistische Mantra 'Gate, Gate, Paragate' in englischer Übersetzung. Spontan, meditativ und herzbetont. *'Shekinah - die Freude - die Stimme - das Mantra'* (AIM) so lautete der Titel des ersten Albums von Brigitte Foerg. Hier und auf ihrer zweiten CD *'Peace'* verbinden sich Mantren, Lieder und Texte aus verschiedenen Traditionen zu einer universellen Sprache der Liebe. Abwechslungsreich, kraftvoll und berührend.

Weibliche Sexualität und Tantra

Die erotische Ausstrahlung der Frau drückt sich seit alters her in Musik und Tanz aus. Die Frage ist nur: Ist sich die Ausführende ihrer inneren Göttin bewusst oder nicht? Singt aus Marlene Dietrich und Madonna die befreite Göttin oder vielmehr die Sklavin männlicher Sexphantasien? Wir können die Frage offenlassen, denn niemand würde die Dietrich und Madonna ernsthaft zum New Age oder zur World-Music zählen - auch wenn sich schließlich alles auf alles beziehen lässt.

Im Pop und Rock gibt es einige Sängerinnen, die Erotik signalisieren und sich zugleich zu esoterischen Ideen bekennen. **Tina Turner** z.B. ist Buddhistin und glaubt, sie sei die Reinkarnation einer ägyptischen Pharaonin. **Nina Hagen** liebäugelt mit indischer Mythologie und Außerirdischen. Doch eine unumwundene Selbstdarstellung als 'Venus' ist mir aus keiner aktuellen Musikrichtung bekannt.

Im Workshopangebot zum Wiederentdecken weiblicher Power und Sinnlichkeit erfreut sich der orientalische Bauchtanz einiger Beliebtheit. Platten mit Bauchtanzmusik finden in Esoterikläden starken Absatz. Es gibt auch genug gute Gründe für den orientalischen Tanz: Gesundheit, Körpergespür, Sinnlichkeit, Grazie, Selbstbewusstsein und verführerische, mitreißende Musik. Führend in diesem Sektor ist der ägyptische Perkussionist und Bauchtanzlehrer **Hossam Ramzy** mit über 15 eigenen Produktionen. Er arbeitete außerdem im Bereich 'World-Music' zusammen mit Peter Gabriel, Paul Young und Joan Armatrading.

Auf der CD *'El-Sultaan'* finden sich acht ausgelassene Tänze, die zum Hochzeitsfest einladen. *'Eshta'* bringt Improvisationen nach strikten Regeln, Percussions, Bambusflöte Nay, Viertelton-Akkordeon. Auf *'Ro-He: Klassischer ägyptischer Bauchtanz* spielt Ramzy mit sechs anderen Musikern auf Originalinstrumenten.

Außerdem von anderen Künstlern:

Leyli: *'Spiritual Belly Dance'*. Ali Örnek (Bogensaz, Tabla), Udo Neikes (Querflöte) und David Jehn (Kontrabaß) bieten eine subtile Bauchtanzmusik, die auch Elemente westlicher klassischer Musik aufnimmt. Die gestrichene Saz ist Alis eigene Idee, ebenso die etwas andere ("kosmische") Stimmung.

Orkestrasi, Esin Engin: *'Best of Belly Dance from Turkey'*. 18 authentische Instrumentalstücke aus der Türkei, dem Ursprungsland des Bauchtanzes. Die Musik klingt oft zart und hat Ähnlichkeit mit griechischer Folklore.

Sax, Mostafa: *'Hayati - Ägyptischer Bauchtanz'*. Traditionelle ägyptische Bauchtanzmusik mit Altsaxophon, Percussions (Hossam Ramzy) und Synthesizer.

Sayyah, Emad: *'Modern Belly-Dance Music from Lebanon'*. Außer den traditionellen orientalischen Instrumenten Derbacki, Rik, Nay, Santoor etc. sind hier auch Saxophon, Oboe, Klarinette, Akkordeon, Orgel und Geige zu hören.

Oceanic Tantra

Melodische und rhythmische Elemente der orientalischen (Bauchtanz-)Kultur tauchen auch meist in jenen Aufnahmen auf, die für tantrische

Workshops und Rituale gedacht sind. **Kutira Decosterd**, Psychotherapeutin aus der Schweiz, hat auf Hawai'i das "Ozeanische Tantra" kreiert. Delphine und Tauchen, sexuelle Magie und schamanische Rituale, Musik, Tanz und Theater vermischen sich zu einem attraktiven New-Age-Angebot. Kutiras Partner **Raphael** arbeitete als Musiker (u.a. mit Gabrielle Roth) zehn Jahre am Esalen Institut in Kalifornien. Seit 1989 haben Kutira und Raphael zusammen mit anderen bekannten New-Age-KünstlerInnen wie **Singh Kaur (alias Lorellei)** und **Sophia** mehrere erfolgreiche Alben produziert und tantrische Rituale zu einer Art Performance oder Show umgestaltet.

Auf ihrem ersten Video *'Surrender to Love'* (1994) dokumentieren Kutira und Raphael ein "Tantric Sex Magic Ritual". Im Covertext heißt es (übersetzt): "Diese Reise fließt von den tiefsten Tiefen zu den höchsten Höhen heiliger sexueller Liebe...eine von mächtigen spirituellen Lehrern angeleitete Reise, wo feinfühlige Rituale einen Kanal der kosmischen Einheit erschaffen und Emotionen wie Donner explodieren". Es folgen positive Kommentare von Delphinforscher **John Lilly** (der regelmäßig mit Kutira Tagesexkursionen leitet) und den Tantra-Buchautorinnen **Margo Anand** und **Penny Slinger**.

Der 50-minütige Videofilm zeigt eine wartende Menge am Strand, teils singend, teils Palmblätter schwingend, die Köpfe neugierig hin- und herbewegend. Dann das Herannahen zweier Sänften, auf einer Raphael mit einer Krone, auf der anderen Kutira, verschleiert. Sie kommen auf einem erhöhten Podium zusammen, berühren gegenseitig ihre Chakras und sagen Worte wie: "Du bist Vergnügen (Liebe, Spirit etc.) für mich". Nach einem Augenkontakt von etwa einer Minute - Raphael scheint etwas abgelenkt und Kutira demonstriert eine besondere Atemtechnik - folgen ein längerer Kuss und ein etwa 10-15 Minuten anhaltendes gleichmäßiges Routieren der beiden Körper, die von einem Tuch verdeckt sind. Vorher und währenddessen treten verschiedene Sänger mit Invokationen, Liturgien und lautstarken Improvisationen auf, die zwischen Rock und Opernarie beheimatet sind. Wieder

157

andere, die wie tibetische Mönche aussehen, legen Mandalas aus Schnüren. Dazu singen Chöre recht schräge Kirchenchoräle mit Hawai'i Kolorit, es ertönen die unumgänglichen Didgeridoos und eine dazu geschnittene Synthesizermusik, die sich zu einem dramatischen elektronischen Stöhnen steigert.

Wie bei einer gewöhnlichen Ejakulation bricht das Ganze plötzlich ab. Das Märchenpaar steigt vom Liebesthron und wird mit Blumenkränzen überhäuft. Raphael wirkt erschöpft, Kutira lächelt wie ein Werbephoto. Es gibt Tantra für alle, d.h. einer darf dem anderen Obst in den Mund stopfen. Das lockert auf. Für weitere sexuelle Erregung sorgt eine dunkelhäutige Tänzerin. Die Kamera ist zehn Minuten auf das knappe Höschen gerichtet. Raphael wird wieder munter, schwingt dirigierend die Arme und empfängt die sich ihm anbietende Schöne mit leidenschaftlichem Griff und Blick. Zum Ausklang Lagerfeuerstimmung. (eine gekürzte Fassung des Videos ist auf you tube zu sehen https://www.youtube.com/watch?v=XJHRzDJZlew)

Auf den CDs von **Kutira & Raphael** ist die Musik insgesamt sorgfältiger gestaltet. Verschiedene Chöre mit Stars wie **Lorellei (Singh Kaur)**, Kutiras Didgeridoo-Ensemble, Stimmen von Walen und Delphinen, dezente Perkussionsrhythmen und Raphaels harmonisch-orchestralen Keyboards stellen in *'The Calling'* die grandiose Soundkulisse, vor der hawaianische-PriesterInnen ihre alten Lieder singen, Forscher **Dr. Lilly** über den Walspirit spricht und Kutira tantrisch atmet. Auf *'Tantric Wave'* besingt ein Frauenchor (u.a. mit **Sophia**) zur Didgeridoo und exotischen Percussions Yamaya, die hawaiische Göttin des Meeres, und O Shango, den Gott des Lichts. Im 21-minütigen Titelstück gesellen sich Wale und Delphine in die große Schar der MusikerInnen. Ähnlich abwechslungsreich: *'The Opening'* (mit **Gabrielle Roth, Robert Ansell**, dem romantischen Geiger **Terri Sternberg**, Dancefloor und Opern-Gesang von Engeln) und *'Like An Endless River'*. (Überwiegend still-meditativ.)

Zum Tantra von **Margo Anand** komponierte **Shantiprem** auf der CD
'Im Garten der Liebe' sieben im Charakter unterschiedliche Synthesi-
zerstücke (auf die sieben Chakren bezogen). Zwischenrufe wie "Hey"
sollen die männliche Energie aktivieren, die Ostinati und motorischen
Schlagzeugrhythmen in eine Art Trance führen.

In der Compilation „*Love & Eros*" laden **Alberto Alcocers** Keyboard-
kompositionen zum Relaxen, sich Öffnen, Schmusen, Tanzen und Verschmelzen ein. Konzept und Booklet-Texte (praktische Tipps) entstammen Margo Anands Tantrabuch (Goldmann).

Kamasutra

'Kamasutra', das klassische indische Buch der körperlichen Liebe, handelt von der Verfeinerung und Intensivierung aller Sinne. Die dazu
passenden Ragas mit ihren wirkungsvollen Skalen verarbeitete **Al
Gromer Khan** (hier unter dem Pseudonym 'Shah') auf *'Kamasutra'* zu
einer vielschichtigen, subtilen Meditations-Musik. Wer Tantra als Meditation und 'Kunst zur Langsamkeit' praktizieren möchte, der findet
unter Al Gromers Platten eine reiche Auswahl an Begleitmusik. Als
bisher einziger Europäer wurde der Sitarspieler offiziell in die Musi-
kerfamilie von Imrat Khan aufgenommen. In seinen Kompositionen
verbinden sich weiträumige Synthesizerklänge mit einem intimen
Sitarspiel. In einigen Aufnahmen wie in *'Monsoon Point')* kommt A-
melia Cuni mit indischem Gesang dazu. 'Musik als Parfüm': Verweilen
im Moment, Aufhebung des Zeitgefühls.

Klassische indische Musik ist generell durch die tantrische Lebensphi-
losophie geprägt. **Mychael Dannas** Soundtrack zum berühmten Film
Kamasutra. A Tale of Love von Mira Nair machte die Verbindung einem
breiten Publikum deutlich. Die CD beginnt erwartungsgemäß mit einem entzückenden Dhrupad-Gesang, begleitet von sphärischem

Orchester. Ein Starangebot überwiegend indischer MusikerInnen wartet mit Ost-Westmixen der feinsten Art auf. Ustad Vilayat H. Khan (Sitar), L. Subramaniam (Violine), G. S. Sachdev (Banjuri), Ron Korb (Flöte) u. a. Das ausfaltbare Booklet zeigt den edlen Prinzen und seine schönen Gespielinnen. Wer sich auf ein tantrisches Liebesspiel einlassen möchte, sollte sich schon allein der erforderlichen Disziplin wegen einen wenigstens 40-minütigen Raga gönnen. Mit seiner meditativen ruhigen Einleitung und der allmählichen, kunstvollen Steigerung führt ein Raga bestens in die hohe Kunst körperlicher Liebe ein. (Mehr dazu im Kapitel über Indische Musik)

Wolfsfrau

Viele Frauen fanden in dem Bestseller 'Wolfsfrau' von Clarissa Estés eine Anregung, ihre ursprüngliche Sexualität zu leben. Eine der dort erzählten Geschichten, nämlich die von der 'Knochenfrau' aus der schamanischen Tradition der Eskimos, wurde zum Thema einer musikalisch herausragenden Platte: *'Skeleton Woman'* von **Flesh&Bone**. In der Geschichte angelt ein junger Fischer das komplette Skelett einer Frau aus dem Meer. Er verfängt sich darin und zieht das Gerippe in panischer Flucht hinter sich her bis in seine Hütte. Erschöpft und im Halbschlaf dauert ihn das traurige, nackte Gestell und er bettet es neben sich. Im Traum entquillt seinem Auge eine Träne, die das (verzauberte) Frauenskelett durstig aufsaugt. Die Frau funktioniert das Herz des Mannes zu einer Trommel um und beschwört die Geister: 'Gebt mir mein Fleisch und meine Haut zurück'. Am Morgen findet der Mann eine schöne, lebendige Frau neben sich, die ihn liebt. Die Musik des deutschstämmigen Pianisten **Peter Kater** und seiner singenden Ehefrau **Chris White** verbindet Klassik, Jazz und Schamanisches zu einer warmen, intimen und zugleich klaren Atmosphäre, in der sich die Beziehung des Künstlerpaares spiegelt.

Hildegard von Bingen, Jahrgang 1098, gestorben 1179: Äbtissin, Mystikerin, Rebellin, Heilkundlerin, Autorin theoretischer und poetischer
Texte, Künstlerin und Komponistin. Einem Großteil der alternativen
(öko-spirituellen) Frauenbewegung gilt sie als Vorbild. Anscheinend
akzeptiert frau, dass die keusche (möglicherweise lesbische) Hildegard
ihre Sexualität geistig-religiös sublimiert. Sollte sie 'die Göttin' in ihrer
reinsten Form repräsentieren? Ihr geniales Gesamtwerk, die visionäre
Kraft und das mutige Auftreten weisen sie fraglos als eine authentische, einzigartige Frau aus. In ihrem Hauptwerk „Scivias" - „Wisse die
Wege" schreibt sie: „Im Alter von 42 Jahren und sieben Monaten
strömte ein brennendes Licht von ungeheurer Helligkeit aus dem
Himmel in meinen gesamten Geist, wie eine Flamme, die nicht ver-
brennt, sondern entflammt. Es entflammte mein ganzes Herz und
meine Brust, wie die Sonne, die einen Gegenstand mit ihren Strahlen
erwärmt. Auf einmal konnte ich die Bedeutung der heiligen Bücher
schmecken."

Für ihre Nonnen komponiert Hildegard von Bingen 77 liturgische Gesänge, deren Tonumfang, Intervalle und melodischer Verlauf den Rahmen der damals bekannten Musik sprengen. Ihren Liederzyklus fasst
Hildegard als „Symphonie der Harmonie der Himmlischen Offenba-
rungen" zusammen. Der Begriff „symphonia" bezieht sich dabei nicht
nur auf den musikalischen, sondern auch auf den seelischen Zusam-
menklang im Menschen und auf die Harmonie von Himmel und Erde.
Die Äbtissin betont, dass sie keine musikalische Ausbildung habe. Sie
empfange ihre Lieder vielmehr in göttlicher Eingebung. Ihre Schwestern sehen sie manchmal stundenlang singend umherwandeln, ganz
versunken in ein inneres Lauschen, wobei ein unbeschreibliches
Leuchten ihr Haupt umstrahle. Diese nachinnengekehrte, meditative
Seite wird von einer engagierten, aktiven Seite ergänzt. Als Predigerin
reist Hildegard per Pferd und Schiff durch ganz Europa, mahnt und
berät Könige und Kaiser, Bischöfe und Päpste, kritisiert Kreuzzüge

und Judenverfolgung, baut weitere Klöster, heilt Menschen seelisch und körperlich.

Hildegard wird schon zu Lebzeiten als Heilige verehrt, obwohl ihre Heilmethoden sie eigentlich als Hexe ausweisen. Die „Hildegard-Medizin" ist in der gegenwärtigen Auseinandersetzung zwischen Schul- und ganzheitlicher Alternativmedizin wieder aktuell. Die Faszination, die Hildegard gerade auf Frauen in unserer Zeit ausübt, lässt sich jedoch nicht mit dem Vexierbild „Heilige/Hexe" erklären. Dahinter wirkt wohl eher die unbedingte Kraft einer Frau, die sich nicht über den Mann oder irgendetwas außerhalb ihrer selbst definiert, sondern ihre wahre, innere Natur erkannt hat.

„O Weib, du Schwester der Weisheit (Sophia),

wie herrlich bist du!

In dir erstand das überstarke Leben,

das nimmermehr vom Tod erstickt wird."

„Hildegards Selbstbewusstsein als Frau unter Frauen wird in ihren Liedtexten deutlich. Ein Großteil der 77 Gesänge bezieht sich anerkennend auf Frauen: 16 auf die Jungfrau Maria, 13 auf die Heilige Ursula. Frauen spielen in Hildegards Version der Heilsgeschichte eine aktive Rolle. Dadurch regte sie viele Frauen dazu an, sich ihrer Macht in der materiellen Welt bewusst zu werden und diese Macht auszuüben. Nur als Mitglied einer religiösen Gemeinschaft von Frauen konnte

Hildegard ihre wissenschaftlichen, künstlerischen und theologischen
Werke erschaffen." [89]

Allein in den 90er Jahren sind mindestens zwanzig CDs mit Musik von
Hildegard erschienen. Hier eine Auswahl.

1. Sequentia: betont weiblich

Auf *„Hildegard von Bingen. Symphoniae. Spiritual Songs"* stellt die 1977
von Barbara Thornton und Benjamin Bagby gegründete, international
besetzte Musikgruppe *„Sequentia"* die Verehrung des Weiblichen heraus. Die Texte des ersten Teils lobpreisen die Jungfrau, die Hl. Ursula
und die Tugenden Sophias, der Weisheit. Sophia wird gelegentlich als
der 'Heilige Geist' verstanden und gilt dann als die feminine Kraft in
der heiligen Trinität. In 'O Virtus Sapientiae' sagt bzw. singt Hildegard:

„O Kraft der Weisheit, die - in sich kreisend - alles umfängt auf ihrer
Bahn gefüllt mit Leben.

Drei Flügel sind Dir eigen. Der eine sucht die Höhen, ein anderer trägt
den Saft der Erde, der dritte fliegt überall. Dir, Weisheit, gebührt alles
Lob."

Die Musik ist bemerkenswert abwechslungsreich, schwungvoll und
spielerisch leicht. Da gibt es reinen Solo- oder Chorgesang mit und

---

[89] J. Michele Edwards in Karin Pendle (Hrsg), Women & Music: a his-
tory, Bloomington : Indiana University Press, 1991

ohne instrumentale Begleitung, die Fiedeln, Harfe, Flöten und das Psalterium sind kunstvoll arrangiert und klingen, besonders in den vier Instrumentalstücken, fast „außereuropäisch", mal sehnsuchtsvoll und meditativ, mal tänzerisch beschwingt.

Unter dem Titel „*Canticles of Ecstasy*" erschien 1994 der erste Teil einer Serie mit der gesamten Hildegard-Musik, aufgenommen in St. Pantaleon in Köln vor dem Sarkophag der Kaiserin Theophanu. Hier treten die Instrumente stärker zurück, während sich der Gesang wie eine Zauberblume entfaltet und mit nahezu überirdischer Leuchtkraft aufblüht. Die zweite, 1995 veröffentlichte Folge bezieht ihren eigenartigen Titel '*Voice of the Blood*' aus dem Bild der 'Röte vergossenen Blutes', woraus sich eine Art Liederzyklus entwickelt. Thematische Hauptfigur ist Hildegards innig geliebtes Vorbild, die Märtyrerin Ursula von Köln. Wo die herkömmliche Sprache nicht ausreicht, um das Mysterium der 'Ecclesia', der Gemeinschaft im göttlichen Geist auszudrücken, erfindet Hildegard die 'lingua ignota', eine 'geheime Sprache', in der sich Latein und Mittelhochdeutsch vermischen. (So z.B. in dem Antiphon 'O Orzchis Ecclesia').

Hildegard komponierte außer ihrer 'Symphonia' eine Art Oper über die Tugenden, die 'Ordo Virtutum'. Eine von Barbara Thornton konzipierte Aufführung dieses außergewöhnlichen Werkes mit Carmen-Renate Köper in der Rolle der Hildegard und William Mockridge in der des Teufels liegt ebenfalls auf CD vor - Sequentia singt die Frauenchöre. In Anlehnung an ihr theologisches Hauptwerk, die 'Scivias', lässt Hildegard hier kosmische Kräfte in allegorischen Gestalten lebendig werden.

2. Gothic Voices: Eine Feder auf dem Atem Gottes

Das von *Christopher Page* geleitete Ensembles *'Gothic Voices'* machte in den 70er Jahren Hildegards Musik erstmals einem größeren Publikum bekannt. *'A Feather on the Breath of God'*- lautet der treffende Titel einer Aufnahme von 1984 (Gesänge aus der 'Symphonia' mit Emma Kirkby, Solo-Sopran, Doreen Muskett, symphony, Robert White, Dudelsack). Als Feder beschreibt sich Hildegard in der folgenden Geschichte:

„Hört - da war einst ein König, der saß auf seinem Thron. Um ihn herum standen große, wunderschöne Säulen, verziert mit Elfenbein. Die trugen die Banner des Königs voller Ehrerbietung. Da beliebte es dem König, eine kleine Feder vom Boden aufzuheben und ihr zu sagen, sie solle schweben. Die Feder schwebte nicht aus eigenem Antrieb, sondern aufgrund der Luft, die sie davontrug. So bin ich."

3. "O Nobilissima Viriditas" - Die Grün-Kraft

Die Auswahl der 16 Lieder auf der CD: *Hildegard of Bingen: 'O Nobilissima Viriditas'* (mit *Catherine Schroeder* und *Catherine Sergent*, Sopran) bezieht sich auf Hildegards geheimnisvolle 'Grünkraft'. Matthew Fox schreibt dazu in einem Aufsatz:

„Einer der wundersamsten Begriffe, mit denen uns Hildegard beschenkt hat und der mir in keiner anderen Theologie begegnet ist: die von ihr erfundene 'viriditas' oder 'Grünkraft'. Sie wird veranschaulicht im herrlichen Grünen der Bäume und Gräser, im saftigen Grünen der Erde. Hildegard sagt, die gesamte Schöpfung und ganz besonders die Menschen seien überschüttet mit Frucht tragender, grünender Lebenskraft. Kreativität und Grünkraft sind hier offensichtlich eng verbunden. Es heißt da auch: 'grünende Liebe eilt, allen zu helfen.

Menschen, die diesen Tau mit der Leidenschaft himmlischer Sehnsucht einatmen, werden reiche Frucht tragen'" [90]

Und so besingt Hildegard in *'O Viridissima Virga'* die 'grünendste Jungfrau':

„Sei gegrüsset, grünendster Stamm, den die Gebete der Heiligen in stürmischen Winden spriessen liessen. Die Zeit ist gekommen, da du aufblühst unter Deinen Freunden. Gesegnet seist Du, den die Wärme der Sonne feucht hält wie Balsamduft. Denn die lieblichsten Blumen sind in Dir erblüht und haben all ihren Duft verströmt, auf daß sich die Dürstenden laben. Und sie alle erscheinen in vollster Grünheit."

4. Sinfonye: Multimedial

Basierend auf der Handschrift der 'Symphonia', die Hildegard in ihrem Konvent in Rupertsberg bei Bingen um 1175 anfertigen ließ, machte sich *Stevie Wishart* an eine Gesamtausgabe der 77 Gesänge. Die vielseitige Musikerin gründete 1987 das Projekt *'Sinfonye'*. 1989 kam die Sängerin und Workshopleiterin *Vivien Ellis*, bald darauf Fiddle-Spielerin *Jocelyn West* dazu. Die Gruppe spezialisierte sich auf traditionelle und zeitgenössische Musik, die von Frauen komponiert ist, und gab zahlreiche Konzerte in ganz Europa, Nordamerika und Australien. *'Hildegard Of Bingen: Symphonia. Symphony of the Harmony of Celestial Revelations. Vol. I'* wurde 1995 in der Toddington Church im englischen Gloucestershire zusammen mit dem *'Oxford Girls Choir'* aufgenommen und ein Jahr später als CD veröffentlicht. Es ist die bisher achte CD des Frauentrios. Die 14 Gesänge bestehen meist aus einer einstimmigen

---

[90] Quelle: CD-Booklet. Info zur Grünkraft
http://www.adolf.frahling.de/Web-Site/Gruenender_Christus.html

melodischen Linie, die sich in 'O Vos Angeli' buchstäblich in höchste Engels-Gefilde emporschwingt. Der für die damalige Zeit ebenfalls ungewöhnliche dreistimmige Satz - etwa in dem 'Nunc gaudeant materna...' klingt in seiner durchdringenden Klarheit ähnlich wie der Gesang des berühmten bulgarischen Frauenchores. Diesen ersten Teil der Gesänge, dem drei weitere folgen sollen, führte Sinfonye in multimedialen Konzerten auf, u.a. in der Londoner Queen Elizabeth Hall. Die Lieder wechselten mit Lesungen aus Hildegards visionären Schriften, die psychedelisch anmutenden Illustrationen der Äbtissin erschienen großflächig über Diaprojektor an den Wänden.

5. Vox: 'Diadema' - elektronische Aura

Hildegard sieht (und hört?) Sophia, die kosmischen Weisheit, mit einem prachtvollen Diadem gekrönt. Dieses Diadem in Klang darzustellen war das Anliegen von Musikwissenschaftler *Dr. Vladimir Ivanoff* und seinem Ensemble *Vox*. Auf *'Diadema'* sind die Gesänge authentisch und nach intensiver Erforschung und Auswertung der handschriftlichen Dokumente einstudiert. Bei der instrumentalen Begleitung, den Vor- und Zwischenspielen kommen zu den mittelalterlichen Flöten, Trompeten, Fiedeln, der Kleinorgel und Drehleier auch Handtrommeln dazu, was den Aufführungsgepflogenheiten der Zeit Hildegards entspricht. Neu ist dagegen der Einsatz elektronischer Effekte mit Hilfe analoger und digitaler Synthesizer. Ivanoff begründet sein ungewöhnliches Arrangement damit, dass die Menschen im Mittelalter eine Empfänglichkeit für die überirdische Sphäre der 'Weltenmusik' besessen hätten, die unserer heutigen 'materialistischen' Höreinstellung fehle. „Die Einbeziehung von Computerakustik, elektronischen Klangräumen, Live-Elektronik und digitalen Verfremdungsmöglichkeiten sind Symbol der 'musica mundana', lassen uns den visionären Charakter der Musik Hildegards erleben und interpretieren den apokalyptischen Gehalt ihrer Texte".

Tatsächlich erscheinen die melodischen Bewegungen wie Kraftlinien in einem Energiefeld, als hätten sie eine feine Aura oder Strahlung, die durch das moderne elektronische Instrumentarium hörbar gemacht wird. Hörbar ist auch, dass Ivanoff selbst einen spirituellen Bezug zur Musik hat: „Meine Art von Glaubensausübung ist wohl letzten Endes die Musik. Vielleicht kann man sogar sagen, dass meine Art zu beten das Musizieren ist".

Vox, zu Deutsch: „Die Stimme", das sind zunächst einmal drei Stimmen, nämlich die von *Rose Bihler-Shah, Cornelia Melián* und *Catherine Rey.* Jede der drei Frauen singt die ohnehin ausdrucksstarken Melodien mit den weitgespannten Bögen und virtuosen Zickzacklinien auf individuelle Weise und mit selbstbewusster Power. Hildegards Tonranken erfordern eine besondere Atemtechnik, die das zeitliche Verhältnis zwischen Ein-und Ausatmen in extremen Fällen auf 1:50 bringen, während es bei normaler Ruheatmung bei 4:5 liegt. Das ist nur eine der technischen Herausforderungen, denen die Sängerinnen gewachsen sein müssen, von den künstlerisch-interpretatorischen ganz zu schweigen.

Zur international besetzten Truppe gehören weiterhin *Verena Guido* und *Fabio Accurso,* die auf mittelalterlichen Flöten gleich zu Beginn eine eigentümliche Atmosphäre schaffen: Echorufe, die von fern über einen See getragen werden, windbewegtes Schilf, dunkles Wasser. Die Flöten halten auch oft den stets gegenwärtigen Grundton oder imitieren im Hintergrund die Melismen, d.h. die schnellen Bewegungen des Gesanges. Ähnliche Funktion haben die von Giuseppe *Paolo Cecere* gespielten Streichinstrumente. Vladimir Ivanoff setzt außer einer kleinen Orgel auch Perkussionsinstrumente ein, die den Gesang „An die Nachfolger des tapferen Löwen" in seinem mitreissenden Rhythmus unterstützen, ohne in den neuerdings üblichen Techno-Trancerhythmus zu verfallen.

Der durch eigene elektronische Kompositionen bekannte *Kristian W. Schultze* überträgt, assistiert von *Alison Gangler*, durch eindringliche Spezialeffekte die Macht der Visionen ins hörende Bewusstsein. Das geschieht, kompositorisch wohlplatziert, vor allem im 16 Minuten langen Stück „*O Euchari*". Die Visionen treten in Wellen auf. Ihr Raum und ihr immaterielles, ungreifbares Wesen kommen in der Eigenart des Klanges treffend zum Ausdruck.

6. Vision: Die Pop-Version

Während die modernen Elemente bei *Vox* eher im Hintergrund bleiben, ist „*Vision. The Music of Hildegard von Bingen*" bereits die Begegnung und Verschmelzung zweier eigenständiger musikalischer Welten. Zwar werden Hildegards Kompositionen auch hier stilgetreu in der Originalfassung gesungen, nämlich von der bekannten englischen Sopranistin *Emily Van Evera* und von Äbtissin Schwester *Germaine Fritz*, die einem Kloster in New Jersey vorsteht. Doch die musikalische Bearbeitung von *Richard Souther* setzt mit ihren mitreißenden Weltmusik-Rhythmen, dem jazzigen Bass, den komplexen Keyboardharmonien und den verschiedenen Stilelementen von J.S. Bach bis Alan Parson einen deutlichen Kontrapunkt zu den schwebenden Gesangslinien, ohne sie dabei in irgendeiner Weise je herunterzuziehen. Es bleibt auch genug Raum für stille Passagen. Dass diese anspruchsvolle Musik in die amerikanischen und deutschen Pop-Charts gelangt ist, kann als erfreuliches Zeichen für eine allgemeine Anhebung der Sensibilität gewertet werden.

Mit dem Sampler 'Sisters' (Label Celestial Harmonies) präsentiert Jasyln Hall vom australischen ABC-Radio 14 professionelle MusikerInnen und Gruppen mit sehr unterschiedlichem kulturellen Background. Westafrikanische Trommelsessions wechseln mit japanischer Harfe oder finnischer Zither, mittelalterliche Gesänge aus Armenien und aus Hildegards Kloster mit Klassik aus Indien, Vietnam oder Java. Außerdem Jazzig-Experimentelles von Barbara Thompson und der australischen Geigerin Claes Pearce.

Eine Dokumentation weiblicher Kraft und Anmut bietet **New Spirit:** *Women of Power and Grace* (EMI). Auch wenn das Cover eher in Richtung Parfüm-Werbung zielt - schließlich sollen auch jene Frauen angesprochen werden, die noch auf der Suche nach ihrer Identität sind - die Sängerinnen mit ihrem sehr verschiedenen kulturellen Erbe haben hörbar eine innere Quelle der Inspiration entdeckt. Nach der Christianisierung sangen die Frauen in Estland ihre „heidnischen" Gesänge im Geheimen weiter. **Rosemarie Lindau**, in Kanada geborene estnische Sängerin und Chorleiterin, entdeckte etliche dieser alten Lieder und brachte sie auf großen Festivals (in Talinn mit einem 6000-stimmigen Frauenchor) einem breiten Publikum nahe. Wie in Estland ist auch im benachbarten Lettland die alte Naturreligion in Volkliedern und Tänzen lebendig geblieben. Ieva Akuratere, in ihrer Heimat ein Star, besingt mit dem Lied *Es Redjeu* die Reinheit und Unschuld der Frauenseele. Die kessen Brasilianerinnen **Ana Pompeia** und **Joselly Regina Albrechtsen** dagegen bringen zum Akkordeon den verspielten, sinnlichen Aspekt der Göttin. **Aruna Sayeeram** aus Bombay wiederum ruft in rhythmisch verwobenen Sanskritmantren die göttliche Mutter an. Ihr magischer Gesang verschmilzt mit mittelalterlicher Kirchenorgel, australischer Didgeridoo, Perkussion und **Christian Bollmanns** ungreifbaren, aber erstaunlich präzise eingesetzten Obertonmelodien zu einer überkonfessionellen Liturgie. Re-Mix des Stückes „*Thousand Names of the Divine Mother*" von der CD „Aruna", zu beziehen bei Lichthaus-Musik. Der Frauenchor um Carien Wijnen schließlich beschwört mit *The Earth, The Water, The Fire, The Air* die Naturelemente und knüpft mit dem schamanisch-rituellen Chanten an die indianische Tradition und die Urreligion des Wicca an.

Weltmusik der Frauen? Zumindest eine gute Idee, die mich dazu anregt, einige SängerInnen aus ganz unterschiedlichen Kulturen vorzustellen. Sie beziehen sich in ihren (meist traditionellen) Liedern zwar nicht verbal auf die Göttin, bringen sie aber doch auf individuelle Weise zum Ausdruck.

Mari Boine

Die norwegische Sängerin **Mari Boine** wurde mit ihrem eigentümlichen Joiken, dem Gesang ihres samischen Volkes, zunächst über die Real-World-Produktion '*Gula Gula*' und durch ihre Zusammenarbeit mit dem Saxophonisten Jan Garbarek bekannt. In den vergangenen Jahren hat sie mit weiteren Platten und starken Live-Auftritten eine beachtliche Popularität erlangt. In '*Leahkastin/Unfolding*' bauen Geige, Gitarre, Kalimba, Bass und verschiedene Schlaginstrumente rhythmische und harmonische Schichten auf dem gleichmäßigen Schlag einer Basstrommel auf. Mari steigert ihren Gesang von beschwörenden Formeln zum weit hallenden Ruf. Wir finden uns unversehens in eine hypnotisierende Schamanen-Rockimprovisation gezogen, Geige und Flöte sind wild geworden. Der Tanz wird stiller, eine weiche Stimme bleibt allein zurück, um dann zu neuen Ufern, zu neun weiteren überraschenden Liedern in saamischer Sprache aufzubrechen.

171

Kirile Loo

Die estnische Sängerin **Kirile Loo** verarbeitet auf ihrer CD *„Saatus - Fate"* (Erdenklang) alte Runenverse, die in ihrer offenen Form immer weiter gesponnen werden können. Peeter Vähi, in Deutschland durch sein Weltmusikalbum „The Path to the Heart of Asia" (Erdenklang) bekannt geworden, hat die Lieder arrangiert. Die instrumentale Begleitung ist sparsam und wirkungsvoll. Das älteste estnische Saiteninstrument, die sechssaitige Zither Kannel, soll laut Volksliedtradition durch ihren betörenden Klang böse Geister, Plage und Tod vertreiben. Der Legende nach schufen Gottes Hände die Kannel, während der Teufel den Dudelsack erfand. Diese Vorstellung dürfte dem Christentum entsprungen sein, um den für heidnische Rituale verwendeten und für die Tanzmusik unerlässlichen Dudelsack „zu verteufeln". Als weitere, charakteristische Originalinstrumente sind zu hören: Stroh- und Schilfrohrpfeife, Maultrommel und eine Art Holz-Gong, der bis in unser Jahrhundert als Signalinstrument benutzt wurde.

Kirile singt ungekünstelt und direkt. Sie verbrachte die meiste Zeit ihrer Kindheit bei ihrer Großmutter, deren Haus fernab von jeglicher Zivilisation mitten im Wald lag. Dort gab es weder Radio noch elektrisches Licht, und in der Nachbarschaft lebten Bären, Elche, Wölfe und Schlangen. Von 1983-1988 studierte Kirile Loo an der Tallinner Musikhochschule Gesang, doch die kraftvolle Lebendigkeit ihrer Stimme, den authentischen Charakter des Ausdrucks hat sie wohl eher dem Gesang ihrer Großmutter zu verdanken. Wie mir die Sängerin in einem Interview sagte, werden die Lieder über Generationen von den Müttern an ihre Töchter weitergegeben. „Die angesprochenen Themen können an die Substanz gehen, wie in dem Klagelied über den Tod der Mutter, oder verletzend direkt sein, wie im Schimpflied über den stets betrunkenen Ehemann. Jedenfalls berühren diese Lieder jeden, weil sie von Liebe und Hass, Zärtlichkeit und Sehnsucht erzählen. Die Folklore und das Studium der Volksmusik haben meine Sicht des Lebens sehr erweitert. Durch diese Bereicherung fühle und empfinde ich die

Beziehung zwischen dem Menschen und Mutter Erde viel deutlicher und klarer. Und durch meine Lieder habe ich meine Freiheit gewonnen. Ich fürchte oder schäme mich nicht, so zu sein, wie ich wirklich bin, - nicht einmal auf der Bühne. Ich bin offen für die Welt und die Welt ist offen fur mich."

Irén Lovász

Mit ihrem Album *„Rosebuds In A Stoneyard"* (Erdenklang), das 1996 mit dem Preis der Deutschen Schallplattenkritik ausgezeichnet wurde, fand **Irén Lovász** ein überraschend starkes Interesse in den deutschen Medien. Auf der CD singt sie 23 ungarische Volkslieder, die seit dem Mittelalter, einige sogar seit vorgeschichtlicher Zeit vor über 3000 Jahren mündlich überliefert worden sind. Die Hälfte der Lieder hat Irén selbst wiederentdeckt und für die Nachwelt gesichert.

„Ich begann mit dieser aufregenden Forschungsarbeit 1980, als ich an der Szeged Universität in Budapest Linguistik studierte und in der Folkloregruppe der Universität mitsang" erzählte sie mir in einem Gespräch „Ich kannte natürlich die Arbeiten von Zoltán Kodály und Béla Bartók, wusste, dass diese beiden Komponisten, was archaisches Liedgut betrifft, Transsylvanien für die interessanteste Region hielten. Bartók musste seine Studien jedoch abbrechen, als die für ihn wichtigen Gebiete nach dem ersten Weltkrieg von Ungarn abgespaltet wurden. Und nach Moldawien ist er nie gekommen. Ich wollte nun selbst erfahren, wie die Menschen in diesen abgelegenen Gegenden bei und in den Karpaten leben und inwieweit die Volksmusik noch praktiziert wird. Alle Professoren und Freunde rieten mir ab. Das sei viel zu gefährlich. Denn mit der Securitate, der rumänischen Geheimpolizei, war nicht zu spaßen. Ich durfte also nicht auffallen und passte mich in der Kleidung den rumänischen Bauernfrauen an. Ich trug, was frau in den 60ern in Ungarn anhatte: dunkelblauer Kittel mit kitschig buntem

Kopftuch. Das ließ mich gut 15 Jahre älter aussehen. Aber egal. Ich schien unverdächtig. Meinen Kassettenrecorder hatte ich in der Tasche versteckt." (aus dem CD-Booklet)

Die Lieder, die unsere abenteuerlustige Musikforscherin mit verstecktem Mikro aufnahm und als Tonbandmaterial über die Grenze schmuggelte, unterscheiden sich deutlich von jener Folklore, die in den Clubs und Cafés von Budapest zuhauf geboten wird. Irén hatte einige Jahre in verschiedenen Folk-Gruppen gesungen, ohne sich dafür begeistern zu können. Die Musik war ihr zu klischeehaft, auf touristische Erwartungen zurechtgestutzt. Außerdem fand sie die Leute in der Szene ziemlich „Macho und borniert". Aber wer würde sich für ihre Art von Volksmusik interessieren? Zunächst natürlich die Uni. Das Material kam ins Archiv und lieferte einen wertvollen Beitrag zur Jubiläumsausstellung „1000 Jahre Ungarn". Vielleicht wäre es dabei geblieben, hätte sie nicht ihren langjährigen Musikfreund László Hortobágyi kontaktiert, der die Lieder auf unvergleichliche Weise bearbeitete.

Irén singt entweder ganz ohne Begleitung oder lässt ihre Stimme sanft über die Sitar-, Tabla-, Geigen- und Gamelan-Figuren gleiten oder in dezent-spacige Synthesizer-Klänge eintauchen. Die Lieder sind aus verschiedenen Regionen des historischen Großraums Ungarn und repräsentieren die fünf wichtigsten volkstümlichen Dialekte des Landes. Die ältesten diatonischen und versförmigen Klagelieder lassen sich auf eine Zeit um 2000 v. Chr. zurückverfolgen, als die Ungarn noch mit ihren finno-ugurischen Verwandten in Asien und später, gegen 1000 v. Chr. in der Wolgaregion zusammenlebten. Zwei der Lieder handeln von einem „Wunderhirschen". Das erste, betitelt „Regélök, mig élök", zeigt noch deutlich seinen schamanischen Ursprung. Das Wort „regélök" bedeutet: „Ich singe Geschichten" und ist von dem Verb „regélni" abgeleitet. Es bezeichnet okkulte und schamanische Praktiken, die im Geheimen durchgeführt wurden. Die Texte sind eine Fundgrube für Mythen- und Sprachforscher. Das unmittelbar Verzaubernde schwingt jedoch in Irén Lovász' melancholischer Stimme und der eigentümlichen Entrücktheit dieser ungewohnten Klangwelt. Unbestimmbare Sehnsucht eines langen Traumes.

„Weiche Macht"

Insgesamt kann ich nicht erkennen, dass die Musik der Göttin Männer ausschließt, auch wenn sie sich überwiegend an Frauen richtet. Leider wird aber auch im Bereich New Age/World-Music etwa 90% aller Musik von Männern produziert. Vielleicht sind sie einfach ehrgeiziger. Denn das Interesse am Hören, Tanzen und Singen ist bei Frauen deutlich stärker. Sie sind die eigentliche Zielgruppe. Sich über den Unterschied zwischen männlichem und weiblichen Ego auszulassen ist vielleicht riskant oder banal, aber das Künstlerego scheint mir bei Männern wirklich sehr viel penetranter ausgeprägt zu sein als bei Frauen. Und so wie der (von Männern beherrschte Markt) aussieht, braucht man/frau außer Begabung, Beharrlichkeit und technischem Knowhow auch Ellenbogen und Cleverness, um sich zu verkaufen. Das alles ist nicht nötig, um einfach nur Musik zu genießen oder 'die Göttin durch sich tanzen und singen zu lassen'.

„Männermacht war immer die Macht zu strafen, zu unterdrücken und Leben zu vernichten, Frauenmacht ist die Macht, Leben zu erzeugen und zu pflegen." schreibt die Friedensforscherin Sabine Lichtenfels. [91] Dagegen hält Jörg Wichmann: „Angesichts der begangenen Verbrechen ist es nur zu leicht, die 'Gut'- und 'Böse'-Etiketten so einseitig wie früher, nur eben umgekehrt zu verteilen: Christen böse, Heiden gut, Dogmatiker böse, Mystiker gut, Mönche böse, Hexen gut und so weiter. Damit legen heutige Esoteriker und Heiden aber die

---

[91] Lichtenfels, op. cit., S. 154

Verantwortung für ihre eigene Geschichte ab. Wir alle sind die Nachfahren der Verfolger, nicht der Verfolgten." [92]

Doch unabhängig von der 'Verantwortung für unsere Geschichte' muss jede Bewertung einseitig ausfallen. Die Göttin repräsentiert eine Frau, deren Ganzheit auch das Zerstörerische, Sinnlich-Leidenschaftliche und Unberechenbare einschließt. Die indische Kali wird in unserer Kultur immer häufiger als Rache-Göttin zitiert. Will sie sich einfach nur an den Männern für Jahrtausende böser Unterdrückung und Verleumdung rächen? Bedeutet die 'Rückkehr der Göttin' nur eine Wiederholung der magischen Weltsicht? Ist es nicht eine Regression, wenn sich 'die Frau von Heute' mit einem Wesen identifiziert, das einst rituelle Menschenopfer forderte?

Auf der theoretisch-abstrakten Ebene sind es zunächst wieder Männer, die Antworten liefern: C. G. Jungs Archetypenlehre, Joseph Campbells Mythos-Begriff, Jean Gebsers 'integrales Bewusstsein' und Ken Wilbers transpersonales Modell der Bewusstseinsevolution weisen darauf hin, dass es nicht zu einer platten Wiederholung kommen kann. Ein Archetyp wie die Göttin ist zwar als quasi-zeitloser Erfahrungswert im Bewusstsein gespeichert, wird jedoch durch 'höhere' Ebenen wie der rationalen oder transrationalen reflektiert. Die Göttin muss sich heute ganz anders manifestieren als vor 5000 oder 50.000 Jahren. Ein vierjähriges Mädchen lebt phasenweise tatsächlich in der mythischen Welt der Göttin, eine dreißigjährige Designerin spielt sie nur, es sei denn, sie ist 'verrückt' - zurückgefallen in ein vorrationales Bewusstsein, das die trennende Kraft der Vernunft *noch nicht* kennt.

---

[92] zit. n. Lichtenfels, op. cit. S. 123)

„Wenn, wie Campbell sagt, der Mythos seine eigentliche oder wichtigste Funktion erst ausüben kann, sobald er nicht mehr wörtlich genommen wird, sondern als ein Als-ob, dann ist daraus zu schließen, dass die 'verborgene Kraft' des Mythos erst in dem offenen Raum freigesetzt werden kann, den die Rationalität schafft" [93]

Auf welcher Bewusstseinsebene ein Mensch handelt, denkt und empfindet ist nicht durch die Zeitepoche festgelegt, in der er lebt. Der Standard von heute liegt jedoch im rationalen Bereich. Konkret: Die moderne Architektin kann sich Inspiration, Kraft und Heilung im Ritual der Göttin holen, sie kann ihren Stress durch wildes Tanzen abbauen, sich erden und die Energien ausgleichen, aber sie verliert dabei nicht die evolutionäre Errungenschaft - ihren Verstand, ihr Wissen, ihre Fähigkeit, Zeit zu planen und einen Flug zu buchen. Der Mythos der Göttin und die 'darunterliegenden' Schichten des magischen und des archaischen Schamanismus werden in die Welt der Logik und Technik integriert und genutzt. Doch das will gelernt sein. Denn die Magie hat eine starke Anziehungskraft. Sie in unserer Zeit zu beherrschen, der Entwicklung entsprechend zum Wohle des Ganzen, das ist kein Kinderspiel.

Die Richtung ist zumindest klar: „Wir erstreben weder ein Patriarchat noch ein Matriarchat, sondern eine Gesellschaft, die auf weicher Kraft beruht und deshalb die weiblichen Qualitäten des Lebens in alle Bereiche hineinträgt, auch in die Bereiche von Naturwissenschaft, Technik

---

[93] Ken Wilber: Eros. Kosmos. Logos. Eine Vision an der Schwelle zum nächsten Jahrtausend. Krügerverlag, 1995, S. 310

und Politik. Gerade hier liegen die Probleme unserer Zeit, die wir nicht mehr mit den männlichen Methoden lösen können." [94]

Den Schlüssel anwenden: Das Ritual

Welcher Schlüssel passt zur Musik der Göttin? Einen Hexengesang werde ich sicher anders wahrnehmen als einen Song von Enya oder ein Lied der Hildegard von Bingen. Doch will ich über die Musik zur inneren Göttin finden, die sich auch in jedem Mann versteckt hält, dann sind Offenheit, Konzentration und Risikobereitschaft nötig. In einem Ritual wie dem der Neugeburt beim Wicca werden solche Qualitäten gezielt aufgebaut. Wie wäre es, wenn ich die ausgewählte Musik wie in einer Art Ritual auf mich wirken ließe?

Übung 1: Allein

Ich sitze oder liege entspannt mit geschlossenen Augen. Ich nehme die Dunkelheit um mich herum wahr und stelle mir vor, ich sei in einer Höhle. Wie ich hier hineingekommen bin, weiß ich nicht. Ich weiß nur, dass ich eine Aufgabe habe: Aus der Musik eine Botschaft herauszuhören, die ganz speziell mich betrifft. Es kann ein bestimmtes Wort sein, das mich fasziniert, ein Klang oder Geräusch, das mir seltsam vorkommt oder mich sogar ärgert. Ich halte den Eindruck jedoch nicht fest, interpretiere ihn auch nicht, sondern lasse ihn in die Tiefe der

---

[94] Sabine Lichtenfels: Weiche Macht. Perspektiven eines neuen Frauenbewußtseins und einer neuen Liebe zu den Männern. Verlag Berghoff, Belzig 1996, S. 124

Höhle sinken. Ich fühle in jene Tiefe, die ich im normalen Wachbewusstsein als meinen Bauch kenne. Was empfinde ich hier?

Übung 2: Zu zweit

Ich sitze meinem Partner gegenüber und schaue ihm in die Augen, genauer gesagt, auf das sogenannte „dritte Auge" über der Nasenwurzel. Auf diese Weise habe ich beide Augen zugleich im Blick. Der entspannte Blick vertieft sich dabei automatisch. Diesen Vertiefungseffekt kann ich noch verstärken, indem ich das ganze Gesichtsfeld wie ein Bild fixiere - ich löse mich innerlich von der Szene. Die Aufgabe lautet: Ich verhalte mich äußerlich und innerlich ganz ruhig und still, lasse geschehen, beobachte die Gedanken, Gefühle und Empfindungen. In einer Variation können die Partner auch Körperberührungen geschehen lassen. Ein möglicher Effekt der Übung: die innere Göttin oder Geliebte wird als ein Energiepol erlebt, der im ständigen Austausch mit dem anderen Pol, dem inneren Gott, der männlichen Energie steht.

Übung 3: In der Gruppe

Die Gruppe kann aus Frauen und Männern bestehen. Sie bilden einen Kreis. Die Augen sind geschlossen. Wenn die Musik beginnt, sucht jeder die Hand der Nachbarn. Es entsteht eine Art Energiekreis. Die Körper schwingen sich auf die Musik ein. Wie ändert sich die Atmosphäre oder Stimmung?

TEIL 5: HEILENDES FEIERN

Der Schlüssel: Weltmusik feiern

Was ist der gemeinsame Nenner von Weltmusik? Mir würde dieser gefallen: Dazu können alle feiern - unabhängig von Geschlecht, Nationalität oder Religion. Keine ausgrenzende Botschaft. Joachim Ernst Berendt, der den Begriff „Weltmusik" einführte (erste Weltmusikproduktion 1962 in Tokio) und mit zahlreichen Plattenproduktionen populär machte, würde dieser weitgefassten „Definition" beipflichten, lebte er noch. Seine Compilation „Stimmen, Stimmen! Chöre der Welt" (zweitausendeins/Jaro) belegt, dass das Feeling von Gemeinschaft weltweit vermittelt werden kann, sogar allein durch die menschliche Stimme. Also auch ohne Party-Tanz-Beat.

„Alle sind eingeladen!" könnte demnach das Aushängeschild einer „World Music Party" sein. Doch jede traditionelle Feier hat bestimmte Anlässe, Regeln, Orte und sonstige Rahmenbedingungen. Bei unseren Betriebsfesten, Hochzeiten und Geburtstagsfeiern sind jedenfalls normalerweise nur Freunde und Bekannte eingeladen. Manche winken auch dankend ab. Bei den Festen und Zeremonien der verschiedenen Kulturen, wie sie auf etlichen World-Music-Platten zelebriert werden, wäre wohl auch nicht immer jeder „Fremde" willkommen.

Dennoch: Die wesentliche Funktion des Feierns im sozialen, psychologischen und spirituellen Sinn ist die der Auflösung von persönlichen Schranken, von Abgrenzungen, die das Potential zu Diskriminierung und letztlich zum Krieg (zuhause: jeder gegen jeden) haben. Welt-Musik ist zum Feiern da! Sicher nicht nur und ausschließlich. Denn Klassik, Pop, Rock, Techno - zu all dem können wir feiern, tanzen und Gemeinschaft fühlen. Und andererseits regen die manchmal traurigschwermütigen Lieder von Weltmusik-Stars wie Cesaria Evora nicht unbedingt zum Feiern, sondern eher zum Nachdenken an.

Ich möchte jedoch Celebration und World-Music in diesem Kapitel im Bild einer ausgelassenen Tanzparty zusammenbinden. Einige Menschen mögen zwar auch die Stille und den Tod zu feiern wissen. Doch mit Tanz, Rhythmus und einem Gesang, der nicht auf Zurückhaltung bedacht ist, lässt sich leichter feiern.

Feiern als „Schlüssel zu verborgenen Dimensionen"? Ja. Feiern mag vulgär und allgemein klingen, kann sich aber wunderbar verdichten zu einem unvertauschbaren Erleben von Einheit. Die hier vorgeschlagene Musik eignet sich für Seminare, Partys und - mit den entsprechenden Höranleitungen - auch für Hörmeditationen im stillen Kämmerlein. Sie skizziert zugleich einen großen Teil dessen, was allgemein unter Weltmusik/World-Music verstanden wird, von Stammesgesängen und Trommeln bis zu den aufwendigen Produktionen von Peter Gabriels Real World Studios, von der Workshop- und Therapie-Szene bis zu den World Music Charts.

Durch unsere verschiedenen Schlüssel wie tanzen, in Trance gehen, Ritual oder lauschen haben wir zur Weltmusik unterschiedlichen Zugang. Eine klare Abgrenzung zur Trommel-Trancemusik a la Flatischler, Hart, M. T. Addy oder Gabrielle Roth (s. Kapitel Trance) gibt es nicht. Auch nicht zur Weltmusik der Frauen, wie sie im Kapitel der Göttin vorgestellt wurde. Und was im *Schlüssel des Feierns* mit anklingt, wird im zweiten Band von „Leben wie Musik" weiter ausgeführt: Das „Mitströmen mit der melodischen Musik des Herzens".

Im Feiern verschmelzen Ritual und spontane Lebensfreude, erdiger Tanz und Kommunikation. Da jede Musik von einzelnen Menschen mit einem bestimmten kulturellen Background kommt, kann sie auch mal den Charakter eines Carnevals in Rio, mal den einer arabischen Sufi-Zeremonie, einer irischen 'Reel', eines spanischen Flamenco oder afrikanischen Dorftanzes haben. Oder eben gemischt, je nach der Konstellation der MusikerInnen und ihrer Stile.

Weltmusik feiern bedeutet, die verschiedenen Kulturen, die ungeheure Vielfalt der lebendigen Schöpfung verstehen lernen: Im Tanzen, im Mitmachen und Mitströmen. Ob ethnologisch-spirituell orientiert oder einfach ausgelassen-neugierig - der Groove des Verbunden-Seins kann nachhaltig antörnen.

Vom Pow-Wow zum Karneval

Um der Monotonie und Trostlosigkeit des Reservatlebens zu entkommen, riefen die nordamerikanischen Indianer überregionale Powwow-Festivals ins Leben. Hier können sich Mitglieder der verschiedenen Stämme besuchen, Handel treiben und gemeinsam tanzen, singen, feiern. Für die besten Tänzer, Trommler und Sänger werden Preise vergeben. Die Gesänge der Powwow Festivals stellten die erste gemeinsame Populäre Musik aller Native Americans dar.

Die Pow-Wows finden in großen Städten wie New York oder Chicago monatlich, und einmal im Jahr - meist am 4. Juli, dem amerikanischen Feiertag der Unabhängigkeit, als interner Protest - in allen Reservaten statt. Das größte Tanz- und Trommelfestival Nordamerikas, *„Gathering of Nations Pow-Wow"* wird alljährlich von Douglas Spotted Eagle live für das indianische *„Soar-Label"* aufgenommen. Die ausgelassene Freude bei diesem Festival ist wirklich ansteckend. Alle Altersgruppen - von Mädchen und Jungen bis zu weisen Frauen und gestandenen

Kriegern - führen ihre traditionellen Tänze vor, oft mit dem durchdringend hohen (falsettierenden) Gesang der „Plains", der Prärie-Stämme.

Etliche erfolgreiche Gesangs- und Trommelgruppen haben eigene Platten aufgenommen. Auf *„American Pow-Pow"* von den Cathedral Lake Singers und *„Feel The Thunder"* oder *„Honoring The Ancient Ones"* mit den Arawak Mountain Singers singen Männer und Frauen gemeinsam in hohen Lagen zum donnernden Schlag der Pow-Wow Trommeln oder zu schamanischen Rasseln und Schellen. Ursprünglich und kraftvoll wirken auch die Vorführungen der Rio Grande Singers aus den Pueblos von New Mexico auf *„Turquoise Dance"* oder der Yamparika Singers aus dem Duchesne Reservat in Utah auf *„Starting Young"*. Recht wilde Kiowa-Gesänge tragen die Männer der Grayhorse Singers aus Oklahoma auf *„Gourd Talkers"* und *„Shake It Up"* vor, angeführt vom „Hüter der Trommel" und Leadsänger Jack Anquoe. Das von Grateful Dead-Drummer Mickey Hart gegründete, renommierte Worldmusic-Label „Rykodisk" präsentiert die Great Lake Indians in einer ethnologisch wertvollen Aufnahme: *„Honor The Earth"*.

Ein Paradebeispiel für das Feiern ist der Karneval. Ausgelassene Umzüge mit Verkleidungen und religiös-sexuellen Assoziationen kennt jede Kultur von den schamanischen Ursprüngen her. Doch „Karneval" ist ein Begriff der christlich-katholischen Tradition. Carne (=Fleisch), val (Tal, Pause): Enthaltsamkeit von Fleisch ist bald angesagt, und deshalb darf eben dieses noch mal kräftig gefeiert werden.

Karneval gibt es in Rio, am Rhein und ringsum zuhause - zu der Zeit, die von heidnischen wie von kirchlichen Kalendern vorgesehen ist. Frühling, das Wiedererwachen der Lebenskräfte, diktiert die Stimmung, weniger der Gedanke an den baldigen Anbruch der Fasten- und Passionszeit. Das wird jeder Karnevalist aus eigener Erfahrung bestätigen.

Karneval hat seine eigene Musik. Die vom Carneval in Rio gilt als Weltmusik, die aus Köln am Rhein nicht. Gegen den Partyknüller Samba kommen die Faschings-Bands aus Köln weltmusikmäßig nicht an. Doch was ist eigentlich am brasilianischen Sambaschaukeln so grundsätzlich anders als am deutschen Geschunkel? Gut, ein afro-amerikanischer Rhythmus ist komplexer als der volkstümliche Walzer-Takt. Volkstümlich ist beides. Beide, Samba und Walzer sind rituell eingebunden, induzieren Trance (Ausschüttung von Endorphinen) und erfüllen ähnliche soziale Funktionen.

Samba und Wiener Walzer können in einer Seminargruppe eine ausgelassene, herzliche Karneval-Stimmung anregen. Der therapeutische Leiter mag sich freuen, dass dabei das Sex- und Herzchakra angesprochen werden, - doch bitte beachten: je nach individueller Veranlagung und Konditionierung unterschiedlich stark. In der Schubladenordnung würde der stärker Bass- und Trommel-betonte Sambatanz eher zu Sex, der beschwingt melodische Walzer eher zum Herz gehören. Doch wer weiß schon so genau zwischen den beiden Ebenen zu trennen?

Samba-Karnevals erfreuen sich in Deutschland nicht nur großer Beliebtheit bei TV-Konsumenten, sie werden auch eifrig praktiziert. Da gibt es einen echten Samba-Karneval jeden Februar in Bremen. Die dort und anderswo auftretenden Musikgruppen, allen voran die offene Formation Quinta Feira haben meist einen Lehrer aus Brasilien (z.B. Dudu Tucchi), setzen sich aber ansonsten aus Hamburgern, Schleswig-Holsteinern und anderen germanischen Stammesmitgliedern zusammen.

Pow-Wow und Karneval - zwei von unzähligen Beispielen für das Feiern. Die Musik dazu - wie auch die zum Erntedankfest Tiroler oder Vietnamesischer Bauern - kann zur World Music gerechnet werden. Wer sich ausführlicher über die musikalischen Traditionen aller Kulturen und die entsprechenden Stile, Musiker und Aufnahmen informieren möchte, dem sei das 700 Seiten starke Handbuch *World Music - The Rough Guide* empfohlen.

Sai Ham und Yahoo

Im New Age haben sich über die verschiedenen spirituellen Richtungen und Gruppierungen neue Formen entwickelt, das Leben mit Musik zu feiern. Da die Kirchen und Medien mit ihren Aufklärungskampagnen zum 'Sektenproblem' die Berührungsängste noch verstärkt haben, sind solche Feiern samt der zugehörigen Musik außerhalb der jeweiligen 'Sekte' kaum bekannt und überaus suspekt. Ein Beispiel aus eigener Erfahrung: Nach einigen recht erfolgreichen Sendungen im WDR (1983/84) hatte ich zum Thema 'Liebe' außer John Lennon und Olivier Messiaen auch Musik aus dem Umfeld von Maharishis TM und Bhagwans Ashram in Poona bringen wollen. Das ging vielleicht - bei aller vorherigen durchaus einladenden und großzügigen Toleranz - zu weit. Der Beitrag wurde jedenfalls nicht mehr gesendet, und auch kein weiterer. So selbstverständlich die christlichen Kirchen mit ihren Feiern und Liturgien überall in den Programmen auftauchen und nach wie vor 'unsere' Kultur prägen dürfen, so unerwünscht ist die 'Konkurrenz' im eigenen Lande. Die Feste und Feiern der anderen Welt-Religionen werden zwar in den Medien durchaus gewürdigt, doch gewiss nicht als eine mögliche Alternative zu unserer Tradition dargestellt.

Tatsache ist jedoch: Die Gemeinden deutscher Buddhisten, Sufis oder Taoisten wachsen. In Yoga-, Meditations- und Therapiezentren wird nicht nur still meditiert, sondern auch gefeiert - mit anderen Zeremonien und Liedern als denen des christlichen Abendlandes. Wie im Schamanismus und im Kult der Göttin lassen sich dabei zwei Ebenen unterscheiden: Die der gemeinschaftlichen Praxis, wo alle an der Musik mitwirken, und die der individuellen, künstlerischen Adaption und Präsentation. Einerseits tibetische Chants und Pujas live, aber ohne die Absicht einer Veröffentlichung, und andererseits CDs von Mönchen im Studio, - und Filmmusik wie 'Little Buddha' oder 'Living Buddha'. Indische Bhajans, Lieder der Hingabe, gesungen von zehntausend Devoties aus aller Welt zum Geburtstag ihres indischen Gurus Satya Sai Baba, oder deren Spirit in der künstlerischen Umgestaltung eines Felix Maria Woschek. Bhajans sind bereits sehr beliebt in Deutschland. Sie werden in (Kundalini-) Yogakursen der Volkshochschule ebenso gern zelebriert wie im Hare-Krishna Orden.

Keine andere Gruppierung hat jedoch das Feiern und den künstlerischen Ausdruck derart zum Manifest gemacht wie die der Sannyasins, der AnhängerInnen des indischen Gurus Osho bzw. Bhagwan Shree Rajneesh. Anfang der 70er kreierte der deutsche Multiinstrumentalist Georg Deuter, als Sannyasin seinerzeit unter dem Namen Chaitanya Hari bekannt, seinen tänzerisch beschwingten, melodisch-klaren Stil, der zunächst als Markenzeichen für den 'Ashram in Poona', bald aber für New Age überhaupt stand. Abgesehen von den funktionellen Kompositionen zur Katharsis ('*Dynamic Meditation*') zum Schütteln ('*Kundalini-Meditation*') oder Stillsitzen ('*Nadabrahma*') war seine Musik meist zum fließenden Tanz und gemeinsamen Feiern gedacht. '*Nataraj*' heißt die populäre 45-minütige Tanzmeditation (aus der Reihe „Meditations of Osho" von New Earth). Klassiker wie '*Call of the Unknown*' (2 CD-Set.), '*Celebration*' oder '*Ecstasy*' mögen Insider sentimental stimmen, doch unvoreingenommene Outsider werden sich vielleicht einfach an der heiteren Grundstimmung erfreuen, ohne Nostalgie oder Assoziationen zu spirituellen Richtungen. Deuter sagt: „Ich habe immer eine Musik geliebt, die ihren Ursprung - die Stille - nicht vergessen hat, und die uns dorthin vielleicht auch wieder zurückführen kann." (Vorwort CD-Visionen 96/97) Diese Art des Feierns geht also über bloße Partystimmung hinaus.

Die Philosophie Oshos „Feiert alles, auch den Tod", und der Appell, nicht mönchisch abgeschieden zu leben, sondern kreativ zu sein, spiegeln sich in der Musik seiner SchülerInnen. Sie wurde und wird (nicht nur) für die in der Sannyasgemeinde gepflegten Formen der 'Celebration' produziert. Da gibt es die 'Satsangs' mit einer sich dynamisch steigernden musikalischen Einleitung, - eine teils frei improvisierte, teils eingeübte live-Performance von bis zu zwanzig MusikerInnen aus der ganzen Welt. Sie entlädt sich in einem markerschütternden „Yahoo"-Gebrüll der gesamten Gemeinde. Indische, fernöstliche, russische und afrokubanische Stilelemente mischen sich in der Aufbauphase mit (Latin-) Jazz, Rock und Meditationsmusik (Keyboards). Auf Videos, CDs und Kassetten, mit oder ohne 'Discourse' des Meisters für jeden erhältlich, kommt diese 'Energie-Musik' jedoch weiterhin fast ausschließlich innerhalb der Gemeinde zum Einsatz.

CD-Tipps (herzbetonte Instrumentalmusik): Milarepa and Friends (Sampler): *'Chuang Tzu's Dream'*. (Osho Verlag) und (in der Serie Music From The World Of Osho) *'Garden of the Beloved'* (New Earth)

Eine andere Form des Feierns, die in der Regel ohne den Meister stattfand, war und ist die 'Music-Group'. Auf dem abendlichen Event spielt die hauseigene Band devotionale Songs im Gewand von Rock und Reggae, dazu wird getanzt und gesungen. Auch davon gibt es viele Aufnahmen (die historischen beim Kölner Osho-Verlag). Einzelne leitende Musiker wie Anubhava (der Begründer der 'Musicgroups'), Milarepa (dessen Nachfolger) oder Miten (der Hauptsongschreiber) haben ihre Songs auf eigenen Alben veröffentlicht.

Tipp: Miten and Premal: *'Trusting the Silence'*. (Osho Verlag)

Die dritte populäre Form gemeinsamen Singens und Tanzens hieß ursprünglich 'Sufi-Dance', hat aber mit dem klassischen Tanz der Sufis wenig gemein. Frauen, Männer und Kinder (bis zu 500) tanzen in einem großen Kreis bestimmte einfache Bewegungen mit stets wechselndem Partner und singen dazu gemeinsam eine eingängige Melodie. Die Worte kommen oft aus der Sufi-, der Zen-, der indianischen Tradition, es können aber auch 'eigens erfundene' Songs sein. Ich habe einige solcher Veranstaltungen geleitet und im Poona-Ashram 1987 zum Amüsement der vielen Deutschen einen eigenen Song mit den vielsagenden Worten: „Deine Augen sind so schön, darin möcht' ich baden gehn" eingebracht. Das Ganze litt also kaum unter verbissenem Ernst, brachte dafür aber tatsächlich eine erstaunliche Öffnung des Herzens. (mehr dazu im Kapitel 'Mitsingen' in Band 2)

Die Gesamtwirkung der Osho-Musik (bzw. der sich darin ausdrückenden Lebensauffassung) wurde bisher im Mainstream kaum wahrgenommen und sicher unterschätzt. Ich kenne nur wenige New-Age-Label, die nicht von ihr beeinflusst sind. Um den indischen Meister entwickelte sich eine eigene musikalische Sprache. Deuter repräsentiert die erste Phase, die zweite Phase (nach 1980) wurde zunehmend rhythmischer - bis hin zur jazzigen World-Music, behielt aber im melodischen Gestus eine wiedererkennbare Mischung aus indischer Devotion (Bhajan) und unbekümmertem Schwung. Ein virtuoses Beispiel dafür ist der Multi-Instrumentalist Prem Joshua mit seiner indisch ausgerichteten World Music. (*'Hamsafar'*, *'Desert Vision'*, *'Tales of a Dancing River'*, und mit seiner Gruppe Terra Incognita: *'Tribal Gathering'*, *'No Goal But The Path'*).

One-World-Party

Was ist das Faszinierende an der (offiziell anerkannten) World Music, wie sie von Peter Gabriels 'Real-World', Mickey Harts 'Ryko' oder Peter Pannkes 'Haus der Kulturen' (Wergo) produziert wird? Ich denke Rhythmus, Lebendigkeit, das Exotische und, vielleicht weniger bewusst, der ungebrochene Bezug zur Spiritualität. Das Angebot zum Mitfeiern ist so vielfältig - hier auf wenigen Seiten eine repräsentative Auswahl zu treffen, scheint unmöglich. Als Einstieg und zum Überblick sind Sampler hilfreich.

Spirit of the People: *Asiabeat.*
10 Komplexe Musikstücke voller Lebenskraft. Polyrhythmische Percussion-Strukturen aus aller Welt, ausgezeichnete Synthesizertechnik, Flöten aus den Anden, ostasiatische Gesangslinien - eine unbeschreibliche Fülle: "World Music". Könnten wir nur so leben, wie diese Musik klingt!

One World Musicians: *One World One Voice.*
Aus der (Fernseh)-Aktion 'One World'- in Deutschland 'eine Welt für alle'- nach der Idee von Kevin Godley entstand u.a. diese Musikproduktion mit ca. 80 bekannten "World" - Musikern - Rap, Reggae, Rock, Jazz, Folklore aus aller Welt. Eine Art musikalischer "Kettenbrief" *Around the World - For a Song.*
Der Hörer erlebt in 16 Stücken die wunderbare Vielfalt der Kulturen und, durch das gemeinsame Medium "Musik", das Gefühl der Einheit. Die von Mickey Hart produzierte Serie "The World" ist aufrichtig engagiert, akkurat in der Aufnahme- und Wiedergabequalität und in ihrer Wirkung inspirierend und heilend wie kaum eine andere Produktion.

WOMAD: *Worldwide: Ten Years of Womad.*
Zum 10-jährigen Jubiläum der Womad-Festivals 1992 bringt die *CD mit* dem großformatigen 96-seitigen Bild- und Textband einen beeindruckenden Überblick über Peter Gabriels "World-Music" Initiative: Die Burundi Trommler, Nusrat Fateh Ali Khan, Youssou N´Dour, Salif Keita und Peter Gabriel´s "Across the River" von 1981 repräsentieren einige der Höhepunkte.

Various Artists:*A Week in the Real World, Part I.*
In den von Peter Gabriel aufgebauten Real-World Studios trafen sich 75 Musiker und Produzenten aus aller Welt, um in einer kreativen Woche die ganze Palette der World-Music vorzustellen, was mit diesen 15

Stücken auch überzeugend gelungen ist. Mit dabei sind: Rossy, Mari
Boine, The Grid, Geoffrey, Oryema, Pol Brennan.
V.A. (Ellipsis Arts): *Africa Never Stand Still.*
Rhythmus ist sicher nicht das Einzige, was die 40 Stücke der 40 Musi-
ker und Bands aus ganz Afrika hier vereint; es ist auch die besondere
Verbindung von Stammestradition, modernem Leben und dem Stre-
ben nach Einheit und Unabhängigkeit, die in den Gesängen und dem
Spiel der elektrischen Gitarren und Keyboards zum Ausdruck kommt.
Remmy Ongala, Ali Farka Toure, Salif Keita, Youssou N´Dour - das
sind einige der bekanntesten Namen. Zu den 3 CDs gehört ein farben-
prächtiger 48-seitiger Bild-Textband.
Mit „*Global Celebration*" (4 CDs, auch einzeln erhältlich) bietet das Label Ellipsis Arts musikalische Kostproben von traditionellen Festivals
und Zeremonien rund um den Globus. '*Dancing with the Gods*' z.B.
bringt religiösen Gesang (mit Instrumenten) aus Polynesien, Brasilien,
Ägypten, Shanghai, Lettland, Peru, Marokko, Kuba, Indien, Aserbaid-
jan u.a. Die Auswahl auf den anderen CDs mit den Titeln "*Earth Spirit*", "*Gatherings*" und "*Passages*" ist ebenso abwechslungsreich. Infor-
mationen zu jedem der insgesamt 54 Titel und dem jeweiligen kulturellen Hintergrund gibt das ausführliche Beiheft in englischer Sprache.

Aus Eskimo-Iglus und tibetischen Klöstern, aus mongolischen Zelten
und Versammlungsplätzen im Urwald stammt die Musik auf *Voices of
Forgotten Worlds: Traditional Music of Indigenous People* (2 CD-Set mit
Buch, Ellipsis Arts/Intuition). Der kulturelle Hintergrund zu jeder der
insgesamt 34 Vokal- und Instrumentalaufnahmen wird in einem schön
gestalteten, 96-seitigen Buch mit vielen großen Farbfotos ausführlicher
erläutert - auf Englisch. Das erste Musikstück kommt aus der Tradition
der Tuvaner, eines kleinen Nomadenstammes in der nördlichen Mongolei. Ihr virtuoser Obertongesang, der sich mühelos mit den rhythmischen, unbekümmert klingenden Folkloresongs verbindet, hat in den
letzten Jahren auf Konzerttourneen in Europa und Amerika begeisterte
Aufnahme gefunden. Es folgt das Lied einer alten Aina-Frau, ein schamanischer Gesang ohne Instrumente. Die Ainas leben im Norden

Japans und kämpfen dort in ähnlicher Weise um die Anerkennung ihrer ganz eigenen Kultur und Lebensweise wie das Volk der Samen (Sami, Saamen) in den nördlichsten Regionen Europas und Russlands. Auch die Samen haben eine unverwechselbare Musik entwickelt, eine Form des Singens, die sie „Joiken" nennen. Jeder Same bekommt schon als kleines Kind sein individuelles „Seelen-Lied", das ihn sein Leben lang begleiten wird. Die hier vorgestellten Völker gelten als Hüter der letzten, noch nicht von westlicher Industrie zerstörten Flecken Erde. Sie bewohnen Steppen, Urwälder, Wüsten und Gebirgsmassive. Ihre Stimmen zu hören könnte dazu beitragen, das Bewusstsein vom unschätzbaren Wert der Erde anzuregen und weiterzuentwickeln.

Paul Winter

Paul Winters 50-jährige Karriere als professioneller Musiker ist gekennzeichnet vom Drang, Mensch und Natur wieder in Harmonie zu bringen. Er bekam auf seinem Weg viele öffentliche Anerkennungen und Auszeichnungen, gründete 1980 sein eigenes Label: "Living Music Records", und ist mit über 50 Produktionen auch qualitativ einer der "ganz Großen" in der internationalen Musik-Szene. Seine unglaublich vielseitige Musik mit den so berührenden Sopransaxophonmelodien ist wie ein Weiterleben der Seele von J.S. Bach (im Körper jazziger Weltmusik). Im Folgenden sind einige seiner CDs kurz beschrieben:

Canyon: Schnarrende Wüstentrommel, der erste Vogelruf (Sopransax) vor dem Morgengrauen, Orgelbässe warnen vor dem nahen Abgrund... Steigerung der Kirchenorgel (St. John, New York) zum vollen Glanz des Sonnenaufgangs... Knappe Beschreibung des Beginns dieser majestätischen Musik zu Ehren der Natur.
Concert For The Earth: In der Gospelmusik zu Beginn offenbart sich Göttlichkeit jenseits biblischer Texte. In harmonischer Einheit dann auch die Stimmen der Wale mit Pauls Sopransax und seinem Consort. Dieses Live-Konzert bei den Vereinten Nationen bewegt unweigerlich das Herz.

Earth - Voices of a Planet: 12 wunderbare Kompositionen als Lobgesang auf die Erde mit den Naturstimmen von 7 Kontinenten und den Weltmeeren. Es spielen: Paul Winter, das Paul Winter Consort und weitere 18 Gastkünstler. Sehr schön ist auch das ausführliche Begleitheft.

Earthbeat: Gesänge aus Südrussland mit brasilianischem Samba zu verbinden ("Kurski Funk") ist für Paul Winter kein Problem. So werden auch die lebensfrohen Kosaken-Gesänge und andere traditionelle Musik aus Russland in ganz neue musikalische "Winter-"Landschaften integriert. Das Paul Winter Consort und die Dimitri Pokrovsky Singers aus Moskau feierten 1987 die Verbrüderung der damaligen "UDSSR" mit den USA, und das ist wirklich eine hörenswerte Freude.

Missa Gaia: Eine ergreifende Messe, live aus "St. John, the Divine" New York, mit dem Cathedral Choir, und aus dem "Grand Canyon" mit Tierstimmen. Allein wie im "Kyrie", dem zweiten von 15 Teilen, der Gesang eines Kojoten von den Tenören "gregorianisch" übernommen und über die verschiedenen Instrumente bis hin zum vollen Chor-Orchestersatz gesteigert wird, ist in der gesamten Musikgeschichte einmalig.

Solstice Live!: In der größten (neo-)gotischen Kathedrale der Welt, St. John in New York, wo der Dalai Lama, Buckminster Fuller oder Vaclav Havel Ansprachen hielten, tritt seit 1980 auch Paul Winter mit seinem Consort und Gastmusikern aus aller Welt regelmäßig am 21.12. in einem grandiosen Live-Konzert auf. Gospel, keltischer, russischer, indianischer Gesang, Vogelstimmen aus dem Amazonas, virtuose Flöten und Gitarren und die jazzigen Arrangements des Saxophonisten Paul Winter - ein unvergessliches Erlebnis.

Spanish Angel: Die lebenssprühenden jazzigen Live-Aufnahmen von der Spanien-Tour 92 erinnerten Paul an seine frühen Formationen mit David Darling, Paul McCandless oder Ralph Towner, und er schreibt: "Eingetaucht in den Strom all dieser Musik scheint die Zeit zu verschwinden, und ich fühle mich als Teil einer großen, weitergehenden Gemeinschaft, die das Leben mit Klang feiert." 12 wunderbare Kompositionen für Sopran-Saxophon, Piano, Cello, Bass, Horn, Flöte,

Schlagzeug, Percussion u.a.

Wolf Eyes: Eine Retrospektive "Living Music" 1980-1986 im Schaffen des berühmten Sopransaxophonisten. Mit dem Paul Winter Consort, den "Dimitri Pokrovsky Singers" und den Stimmen von Delphinen, Wölfen und "Loons" - den kanadischen Wasservögeln mit ihrem eigentümlichen, geheimnisvollen Ruf. Wunderbare, entspannende Musik.

Beautiful World

In *Beautiful World:* „In Existence" hören wir Lobgesänge auf die Erde in verschiedenen Sprachen (Hopi, Suhaeli, Französisch, Englisch). Zum Gesang von Beryl Marsden und anderen hat Phil Sawyer mit aufwendiger Studiotechnik moderne, stilistisch sehr unterschiedliche Arrangements ausgearbeitet (Synthesizer, Chor, Bass, Drums, Percussion, Naturgeräusche). Der Titel "Existence" wurde zum Top-Hit.

'Nam Myoho Renge Kyo' - Mit diesem buddhistischen Mantra bereitete sich der Komponist Phil Sawyer stets auf seine Arbeit vor. Nach einer turbulenten Vergangenheit mit Rockstars wie Fleetwood Mac und der Spencer Davis Group widmete sich Phil der klassischen Komposition, schrieb Streichquartette, Ballett- und Filmmusik. In Deutschland wurde er zunächst durch seine Musik zur Pro-7-Serie über die letzten unberührten Naturlandschaften, „Weite Welt" bekannt. Deren Erkennungsmelodie erscheint in seinem Album: *'Beautiful World - Forever.'* (1996) Der Vorgänger - *'Beautiful World: In The Beginning'* wurde über 300.000mal verkauft. Beide Platten verkünden mit weichen afrikanischen Chören, tanzbaren Rhythmen und orchestralen, mal peppigen, mal meditativen Arrangements eine ebenso einfache wie überlebenswichtige Botschaft:

„Dieses Wunderbare Wesen, der Planet Erde, trägt unaufhörlich und bedingungslos unser aller Leben. Dem zum Trotz verbreiten wir auf ihr Mord und Todschlag - Verwüstung. Ich bin davon überzeugt, dass nur ein radikaler Wandel diesen Wahnsinn stoppen kann - eine Revolution in den Herzen aller Menschen", schreibt Phil Sawyer zu 'In Existence'. Das swahelische Lied dazu: 'Ulimwengu Mzury Ume Zaliwa' („Eine vollkommene Welt wurde erschaffen - sie existiert bereits.")

„Der konkrete Hintergrund für das erste Album war ja die Shampoo-Werbung für Timotei" erklärte mir Phil in einem Interview. „Mein Freund Steve Mc Cloud machte die Kamera-Aufnahmen in Kenya und wollte, dass ich die Musik dazu komponiere. Er schickte mir Tonbänder mit den Geräuschen des Urwalds und ich entwickelte eine innere, fast mystische Beziehung zu Afrika. Ich wollte einen Gesang dazu. Wir spielten mit Assoziationen, einigen Schlüsselbegriffen wie: 'Wundervolle Welt' und 'starke Natur' und ließen sie in die dortige Landessprache Swahili übersetzen. 'Kisio Sopeh'. Klingt das nicht viel weicher und geheimnisvoller als 'strong nature'? Der Werbespot wurde nicht nur finanziell ein voller Erfolg. Ich erhielt Briefe von Menschen aus der ganzen Welt, die sagten, dass diese Musik ihr Herz berührt und ihr Leben verändert habe. Jeden Tag prasselt vom Fernseher eine Flut von Schreckensnachrichten und Negativität auf die Menschen ein, warum nicht etwas Positives dagegensetzen, wenn sich die Chance bietet? Die Swaheli begrüßen selbstverständlich alle Menschen, Tiere, Pflanzen und Steine mit. „Guten Morgen, See, Guten Morgen, Baum". Da schwingt eine Dankbarkeit mit, überhaupt am Leben zu sein. Davon können wir wirklich lernen in unserer Hochgeschwindigkeitsgesellschaft. Unser Leben besteht in der Regel aus dem Benutzen von Computern, TV, Autos und Arbeit. Wir haben vergessen, für das Einfache im Leben dankbar zu sein. Denn auch wenn wir Probleme haben mögen, wir sind am Leben. Und die Probleme lassen sich lösen."

ANHANG

Literatur

Anand, Margot: Tantra oder Die Kunst der sexuellen Ekstase, Goldmann TB, 1995

Bayaka. The Extraordinary Music Of The Babenzélé Pygmies Foto/Textband, mit CD, ellipsis arts/intuition

Buhner, Stephen Harrod: Die heilende Seele der Pflanzen. Was wir von Pflanzen lernen können, wenn wir ihnen zuhören, und warum Biophilia auf Erden so wichtig ist. Herba Press, 2017

Célan, Paul: Psalm aus: Die Niemandsrose. Gedichte. S. Fischer Verlag, Frankfurt 1976

Cramer, Friedrich: Symphonie des Lebendigen. Versuch einer allgemeinen Resonanztheorie. Insel TB, Frankfurt a. M. und Leipzig, 1998,

Cramer, Friedrich: Symphonie des Lebendigen. Versuch einer allgemeinen Resonanztheorie. Insel TB, Frankfurt a. M. und Leipzig, 1998

Crowley, Vivianne: Wicca. Die Alte Religion im Neuen Zeitalter, Edition Ananael, Bad Ischl 1993

Eliade, Mircea: Das Heilige und das Profane, Rowohlt, Hamburg 1957

Flatischler, Reinhard: Ta Ke Ti Na - Der Weg zum Rhythmus, Synthesis-Verlag 1993 und Die vergessene Macht des Rhythmus, Synthesis-Verlag 1994.

Frantz, M. L. von: Der Individuationsprozeß, in: C.G.
Jung: Der Mensch und seine Symbole, Olten und
Freiburg i. Br., 7. Aufl. 1984

Gebser, Jean: Ursprung und Gegenwart, Bd.1, No-
valis Verlag, Schaffhausen 1993

Hart, Mickey: Die magische Trommel. Goldmann,
München 1994

Jenny, Hans: Kymatik. Wellenphänomene und
Schwingungen. AT-Verlag, Aarau 2009

Jung, Ursula: Das Neue Frauen-Liederbuch', Kreuz
Verlag, München 1993

Kalweit, Holger: Schamanentum, schamanische Psy-
chotherapie, in: Spirituelle Wege und transpersonale
Psychotherapie, hg. von Edith Zundel und Bernd
Fittkau, Paderborn 1989,.

Kalweit, Holger: Traumzeit und innerer Raum. Die
Welt der Schamanen. O.W. Barth, Bern, München
2002

Klasmann, Jaan Karl: Gesundes Schwingen. In: Psychologie Heute, Juli 2005

Lichtenfels, Sabine: Weiche Macht. Perspektiven eines neuen Frauenbewusstseins und einer neuen
Liebe zu den Männern. Verlag Berghoff and friends,
1996 (2017 als TB im Meiga-Verlag erschienen)

Nietzsche, Friedrich: Also sprach Zarathustra. Ein
Buch für Alle und Keinen. Reclam. Universal Bibliothek Nr. 7111, Stuttgart 1994

Osho: Kreativität – Die Befreiung der inneren Kraft. Heyne Verlag, München 2001

Pauli, W. und C. G. Jung: Ein Briefwechsel. 1932-1958, Heidelberg 1992

Ritter, Hermann: Arbeitsbuch moderne Naturspiritualität. Das Wissen der weisen Frauen und Männer. Synergia.

Salvesen, Christian: Der ‚Siebte' Tibeter. Die eigene Stimme entwickeln und erfolgreich einsetzen. Scherz, Frankfurt 2004

Salvesen, Christian: Der Sechste „Tibeter". Das Geheimnis erfüllter Sexualität. BoD (überarbeitete Neuausgabe), Norderstedt 2018

Schopenhauer, Arthur, die Welt als Wille und Vorstellung, Bd. I

Steiner, Rudolf: Das Wesen des Musikalischen und das Tonerlebnis im Menschen. Steiner Verlag (GA 283), Dornach 2001

Stroh, Wolfgang Martin: Handbuch New Age Musik. Auf der Suche nach neuen musikalischen Erfahrungen. ConBrio-Fachbuch, Band 1, Regensburg 1994

Ulrich, Ingeborg: Hildegard von Bingen: Mystikerin, Heilerin, Gefährtin der Engel Kösel, München 1990

Voß, Johann Heinrich Odyssee

Wehmeyer, Grete: „Zu Hilfe! zu Hilfe! Sonst bin ich verloren". MOZART und die Geschwindigkeit. Kellner Verlag Hamburg 1990

Whitmont, Edward C.: Die Rückkehr der Göttin. Von der Kraft des Weiblichen in Individuum und Gesellschaft, Rowohlt tb, Reinbek 1993

Wilber, Ken: Eros. Kosmos. Logos. Eine Vision an der Schwelle zum nächsten Jahrtausend. Krügerverlag, 1995

Wohlleben, Peter: Das geheime Band zwischen Mensch und Natur. Ludwig Buchverlag, 2019

World Music: The Rough Guide, USA, TB, 1994

Tonträger

Trance

Various Artists: The Big Bang: In the Beginning was the Drum, 3 CDs, ellipsis arts 1994

Michael Harner: Shamanic Journey Solo and Double Drumming (FSS/Silenzio) und Laura Chandler: Sacred Drums for the Shamanic Journey

Professor Trance & the Energisers, Shaman's Breath (Island)

Gabriel Roth & the Mirrors 'Tongues', 'Bones', 'Initiation', 'Ritual', 'Totem', 'Trance' und 'Waves' (alle Aquarius/Silenzio)

MegaDrums (Reinhard Flatischler) Schinor, Corean Transformation, Ketu Layers of time, The world is full of rhythm (verschiedene Label)

Bachir Attar: The Next Dream (CMP)

Gunung Jati 'Music of South-East & East Asia' (JVC)

Swar Cipta Priyanti: The Music of Bali. Vol 1, Jegog. (Celestial Harmonies)

David Parsons 'Music of Cambodia - 9 Gong Gamelan'). Celestial Harmonies

Venancio Mbande 'Xylophone Music from the Chopi People' (Wergo)

Foday Musa Suso: Jali Kunda (Ellipsis Arts)

Natur Pur

Ruth Happel: Brazilian Rainforest (CDs: 'Dawn Chorus', 'Evening Echoes', 'Jungle Journey', 'Rain Forest'.) (Ryko)

Walter Tilgner Naturhörbild-CDs 'Blaukehlchen', 'Frühlingskonzert', 'Kraniche', 'Nachtigall', 'Vogelhochzeit', 'Waldesrauschen', 'Waldkonzert', (WERGO/SMD)

Relax With Nature: 'Drifting In A Calm Bay', 'Ocean Waves At Sunset' 'English Country Dawn' CD-Set, (New World Music Ltd)

The Atmosphere Collection: 'Timberwolf', 'Thunderstorm' u.a. (Ryko)

The Babenzélé Pygmies & Louis Sarno: Bayaka - The Extraordinary Music Of The Babenzélé Pygmies (Ellipsis Arts)

Baka Beyond (Martin Cradick/Su Hart): 'Heart Of The Forest', 'Spirit Of The Forest', The Meeting Pool' (Ryko)

Voices of the Rainforest (Steven Feld): Bosavi, Papua New Guinea. (Smithonian)

Aborigines

Richard Walley: 'Bilya,' 'Kooyar' (Oreade)

David Hudson: 'Rainbow Serpent', 'The Sound of Gondwana' (Celestial Harmonies)

Gary Thomas: 'Gaia's Dream' (AIM)

Adam Plack & Johnny Soames: ‚Winds of Warning','Dawn Until Dusk - Tribal Song And Didgeridoo' (AMI)

Nomad: 'Nomad' (AMI)

Wasinger/Harvey: 'Track To Bumbliwa' (Silver Wave Records)

Indianer

Billie Nez: Peyote Songs from Navaholand (Soar Records)

Paul Guy jr. &Teddy Allen: Peyote Canyon, Peyote Brothers, Peyote Strength (Canyon Records)

R. Carlos Nakai: Earth Spirit, Changes, Sundance Season, Emergence, Cycles, Spirit Horses, Ancestral Voices, Natives, Migration u.a. (Canyon Records) Desert Dance (Celestial Harmonies), How The West Was Lost (Silver Wave Records)

Douglas Spotted Eagle: Human Rites, Sacred Feelings, Stand at the Center, Canyonspeak, Common Ground (Hearts of Space)

Papa John: Inner Windows, Earth Medicine (Natural Visions)

Perry Silverbird: Spirit of Fire, The Blessing Way (Celestial Harmonies)

Reuben Silverbird: The World In Our Eyes (Celestial Harmonies/Naxos)

Cornel Pewewardy: Spirit Journey (Spalax)

Earl Bullhead Walking The Red Road, Keeper Of The Drum (Soar)

Dik Darnell: Ceremony, Mayan Dream, Following The Circle, Winter Soltice Ceremony, Voices Of The Four Winds (Etherean Music/Silenzio)

Denean: Fire Prayer, The Weaving, Thunder (Etheran Music/Silenzio)

David & Steve Gordon: Sacred Spirit Drums, Sacred Earth Drums u.a. (Prudence/H'Art)

Joanne Shenandoah:, Life Blood (Silver Wave Records), Loving Ways, Once in a Red Moon, Shenandoah (Canyon Records)

Wind-Musik

Wolf-Dieter Trüstedt: Windharfe (Megatone/Gaya/Aquarius)

Hiroki Okano: Music Of Wind (IC)

Eptagon: Seven Colours (Weltwunder Records/east west)

Stephan Micus: Twilight Fields, Wings Over Water, The Music Of Stones (ECM), Origins (Celestial Harmonies)

Michael Stearns/Ron Sunsinger: Singing Stones (Hos/Just Records Babelsberg)

Wale

Paul Winter: Songs of the Humpback Whale (Living Music)

V. A. Living Music: Deep Voices.- Humpback Whale II (Living Music)

V.A.: Blackfish Sound - Killer Whales (Nature Sounds)

V.A.: Symphony For Whales (Nature Sounds/Classic)

V.A.: Dreamtime Dolphin (Oreade)

Dean Evensons: Ocean Dreams (Soundings oft he Planet)

Stefan Schramm/Jonas Kvarnström: Pazific Blue I/II (NorthSound), Beneath the Waves (Holbourne), Gentle Giants - Orcinus Orca (Total Records)

Tim Wheater: Whale Song (Audio Alternatives)

Paul Horn: Inside The Taj Mahal 1'. (Celestial Harmonies)

Paul Winter: Callings, Whales Alive (Living Music)

Die Göttin

Robert Gass & On Wings of Song: Ancient Mother (Spring Hill Music/Mp Media)

Sophia: Hidden Waters, Journeys into Love, Return, Emergence (Lotus Records)

Cecilia: Voice of the Feminine Spirit, (Tolemac/Silenzio), Heart Land (Almo)

Enya: The Celts, Shepherd Moons, Watermark, The Memory of Trees (alle Wea International/Warner)

Sinead O'Connor: Universal Mother (Ensign/EMI)

Carolyn Hillyer: Heron Valley (htw)

Grayhawk: Blissful Magic - Spiral of the Celtic Mysteries (CD Baby)

Sheila Chandra: ABone, Drone, Cone (Caroline Records)

Nhanda Devi: Chants of Isis (Aquarius/Silenzio)

Hildegard-Musik

Sequenzia:

Hildegard von Bingen. Symphoniae. Spiritual Songs. (Deutsche Harmonia Mundi/BMG).

Hildegard von Bingen. Canticles Of Ecstasy (dhm/BMG).

Hildegard von Bingen.'Voice of the Blood' (dhm/BMG)

Hildegard von Bingen, "Ordo Virtutum." (Deutsche Harmonia Mundi/EMI)

"Ancient Music for a Modern Age" (SEQUENTIA Sampler mit fünf Hildegardtiteln. (dhm/BMG)

Gothic Voices: Hildegard of Bingen: "A Feather on the Breath of God," (Hyperion)

(V.A.): Hildegard of Bingen: 'O Nobilissima Viriditas' (Champeaux recordings, CSM 00069) Hildegard of Bingen. "O Viridissima Virga." (auf: 'Introduction to Early Music.' Naxos)

Sinfonye: Hildegard of Bingen. "Symphony of the harmony of celestial revelations: the complete Hildegard von Bingen, Volume I (Celestial Harmonies)

Vox: Diadema. Hildegard von Bingen. (Erdenklang/Polygram)

Vision (Richard Souther): The music of Hildegard von Bingen. (Angel/Electrola)

Bauchtanz

Hossam Ramzy: El-Sultaan, Eshta, Ro-He: Klassischer ägyptischer Bauchtanz (Arc Music/Da Music)

Leyli:Spiritual Belly Dance (Arc Music/Da Music)

Orkestrasi, Esin Engin: Best of Belly Dance from Turkey (Arc)

Sax, Mostafa: Hayati - Ägyptischer Bauchtanz (Arc)

Sayyah, Emad: Modern Belly-Dance Music from Lebanon. (Arc)

Tantra

Kutira & Raphael: The Calling, The Opening, Like An Endless River, (Kahua Records/Silenzio), Tantric Wave, (Bauer Ton Programm/Silenzio)

Shantiprem: Music for Lovers (Bauer/Silenzio), Im Garten der Liebe, (Hear & Now/Lotus Records)

V.A.: Love & Eros (BMG)

Al Gromer Khan: Kamasutra (Lotus), Monsoon Point (New Earth), Attar-Musik als Parfüm (Spectrum/in-akustik)

Mychael Danna: Kamasutra. A Tale of Love. (Soundtrack zum Film, div. Label)

Flesh & Bone: Skeleton Woman (Silverwave/Edition Wawi)

Weltmusik der Frauen

V.A.: Sisters (Celestial Harmonies)

New Spirit: Women of Power and Grace (EMI)

Mari Boine: Gula Gula, Leahkastin/Unfolding (Real World/EMI)

Kirile Loo: Saatus – Fate (Erdenklang)

Irén Lovász: Rosebuds In A Stoneyard (Erdenklang)

Celebration

Pow Wow

V.A. (Soar): Gathering of Nations Pow-Wow 1991-1995 (pro Jahr eine CD)

Cathedral Lake Singers: American Pow-Pow (Soar)

Arawak Mountain Singers: Honoring The Ancient Ones, Feel The Thunder (Soar)

Rio Grande Singers: Turquoise Dancer (Soar)

Yamparika Singers: Starting Young (Soar)

Grayhorse Singers: Gourd Talkers, Shake It Up (Soar)

Great Lake Indians: Honor The Earth (Rykodisk)

Little Wolf Band: Dream Song (Triloka/in-Akustik)

Osho-Musik

V.A. Meditations of Osho: Dynamic Meditation, Kundalini-Meditation, Nadabrahma, Nataraj (New Earth).

Deuter: Call of the Unknown (2 CD-Set), Celebration, Ecstasy (Kuckuck Schallplatten), Land of Enchantment, Aum, Call of the Unknown (2 CD-Set.), Sands of Time (2-CD-Set, alle: Celestial Harmonies)

Milarepa and Friends (Sampler): Chuang Tzu's Dream (Osho Verlag)

Music From The World Of Osho: Garden of the Beloved (New Earth)

Miten and Premal: Trusting the Silence (Osho Verlag)

Deva Premal: Embrace (Medial/Silenzio)

Prem Joshua: Hamsafar, Desert Vision, Tales of a Dancing River, Tribal Gathering, No Goal But The Path (New Earth)

World-Music (compilations)

Spirit of the People: Asiabeat (Celestial Harmonies/Naxos)

One World Musicians: One World One Voice (Virgin u.a.)

V.A.: Around the World - For a Song (Rykodisk)

WOMAD: Worldwide: Ten Years of Womad (Real World)

V.A.: A Week in the Real World, Part I. (Real World)

V.A.: Africa Never Stand Still. (Ellipsis Arts)

V.A.: Global Celebration (4 CDs, Ellipsis Arts)

Paul Winter: Canyon, Missa Gaia, Concert For The Earth, Earth -
Voices of a Planet, Earthbeat, Solstice Live!, Spanish Angel, Wolf Eyes
(Living Music)

Beautiful World: In the Beginning, In Existence, Forever (WEA/War
ner)

Über den Autor

Christian Salvesen, 22. 2. 1951 in Celle geboren, hat den Magister der Philosophie, Literatur- und Musikwissenschaft 1976 in Hamburg mit der bestmöglichen Gesamtnote gemacht. Er arbeitet seit 1980 als freier Journalist und Redakteur, war Autor und Moderator von erfolgreichen, 90-minütigen Rundfunksendungen beim NDR und WDR (Thema „bewusstes Hören"). Bisher wurden von ihm 12 Sachbücher, 2 Romane und 2 Bände mit Zeichnungen in verschiedenen Verlagen veröffentlicht. (U.a. S. Fischer und Goldmann/Random). Als Lektor und Ghostwriter hat er etliche weitere Bücher betreut. Hunderte seiner Artikel sind seit 1991 regelmäßig in überregionalen Zeitschriften erschienen, ebenso viele in Zusammenarbeit mit namhaften spirituellen Lehrern, Künstlern, Heilern, Wissenschaftlern. Die Bandbreite seiner Themen reicht von A wie Algen oder Ayurveda bis Z wie Zen oder Zuhören. Als Musiker (Geige, Gitarre, Keyboards) improvisierte er in den 80er und 90er Jahren mit vielen anderen Musikern aus aller Welt.

Der Autor leitet Workshops und Musik-Meditationen, bei denen die auf „Leben wie Musik" vorgestellten CDs eingesetzt werden.

Info: www.christian-salvesen.de

Lightning Source UK Ltd.
Milton Keynes UK
UKHW020643230721
387648UK00010B/793

9 783752 609202